Les enfants moroses

Marchand de feuilles
C.P. 4, Succursale Place d'Armes
Montréal (Québec)
H2Y 3E9
Canada

www.marchanddefeuilles.com
Mise en pages : Roger Des Roches
Illustration de la page couverture : *Stéphanie,* par Dilka Bear
Graphisme de la page couverture : Sarah Scott
Révision : Annie Pronovost

Diffusion : Hachette Canada

Les Éditions Marchand de feuilles remercient le Conseil des Arts du Canada ainsi que la Sodec pour leur soutien financier.

Conseil des Arts du Canada   Canada Council for the Arts

Société de développement des entreprises culturelles
Québec

Catalogage avant publication de Bibliothèque et Archives nationales du Québec et Bibliothèque et Archives Canada

Loiselle, Fannie

Les enfants moroses

ISBN 978-2-922944-73-0

I. Titre.

PS8623.O37E53 2011   C843'.6   C2010-942632-0
PS9623.O37E53 2011

Dépôt légal : 2011
Bibliothèque nationale du Québec
Bibliothèque nationale du Canada

Fannie Loiselle

Les enfants moroses

nouvelles

Nous avons soif d'un ordre simple. Qu'un jour puis
le suivant et encore le suivant, avec un peu de chance,
soient identiques. [...] Donner suite à cet ordre
et le préserver est un acte d'espoir désespéré.

LOUISE ERDRICH

Pâques

Nous marchions dans la rue à trois heures et quart du matin quand Léanne m'a offert un chocolat en forme d'écureuil. Elle l'a sorti de son sac. « C'est vrai, j'allais oublier... C'est pour toi, Aude. C'est pour Pâques. » Je n'arrivais pas à marcher correctement, mais je l'ai remerciée. J'ai pris l'écureuil en chocolat, protégé par un emballage de plastique. Il était beau et étrange. Il semblait vieux. Éternel. Ses yeux étaient plissés et ses dents, proéminentes. Il semblait connaître des choses que j'ignorais. Il m'effrayait doucement.

Il aurait pu surgir d'un cauchemar pour me parler de l'avenir.

Je l'ai tenu au creux de mes deux mains, avec précaution, comme on porte une idole. Nous avons marché encore longtemps. Nous avions faim. Des hommes, jeunes et saouls, s'arrêtaient pour nous parler. Mais nous poursuivions notre chemin.

Nous avons choisi une banquette. Léanne s'est dirigée vers le comptoir pour commander. Je regardais l'écureuil. Son nom était indiqué sur une étiquette. Monsieur Pinchaud. Il devait s'agir du chocolatier. Je l'ai montré à mon amie quand elle est revenue avec les pointes de pizza. Elle a dit que ce n'était pas un bon nom. Que je devrais le renommer. Elle a regardé autour d'elle un moment. Elle a pointé son doigt vers l'enseigne du restaurant. Madonna. J'étais songeuse. Je préférais Monsieur Pinchaud. Mais je ne l'ai pas dit. Nous avons mangé les pointes de pizza en silence.

J'ai dit au revoir à Léanne, qui est montée dans un taxi. J'avais décidé de rentrer chez moi à pied. Il faisait encore froid, surtout à cette heure. Sur Saint-Hubert, à la hauteur de Beaubien, les vitrines des magasins étaient illuminées. Je me suis arrêtée devant l'une d'elles. Un mannequin vêtu d'une robe de mariée y était exposé. Avec une longue traîne, immense. J'ai regardé le visage lisse, dépourvu de traits. Son air paisible. Puis mes yeux se sont attardés sur la soie et la dentelle. Les minuscules paillettes.

Il y en avait d'autres. Des dizaines, des centaines de robes de mariées, de différents modèles et de différentes nuances de blanc. J'ai commencé à courir d'une vitrine à l'autre. J'étais fébrile. Je cherchais la plus belle.

J'ai monté l'escalier jusqu'au troisième étage. J'étais légère. Mes pas s'écrasaient bruyamment contre les marches. Je ne voyais rien dans l'obscurité. Je me suis déplacée en tâtant les murs, en évaluant les proportions.

Les choses se sont mises à tournoyer. Je me suis allongée par terre. J'ignore combien de temps je suis restée ainsi. À un moment, j'ai pensé que je ne bougerais plus jamais. J'ai me suis rendu compte que je tenais toujours l'écureuil. Dans la lumière grise de l'aube, il me dévisageait. Son œil droit avait un peu fondu.

Christophe et l'apocalypse

Je me suis aperçu que j'avais oublié de retirer les bouchons insérés dans mes oreilles. J'étais dans l'autobus. Les bruits de la circulation étaient étouffés. Les voix me parvenaient de très loin. Je me sentais calme. Apaisé.

J'avais l'impression d'avoir la tête sous l'eau.

Avant de pousser la porte vitrée, j'ai glissé ma carte d'identité dans le lecteur. J'ai toujours vaguement peur qu'il me refuse l'accès à mon lieu de travail. Qu'il détecte une imposture.

Je travaillais comme agent au service à la clientèle pour une compagnie de télécommunications. Mon étage avait été décoré pour l'arrivée du printemps. On avait collé des arbres, des fleurs, des lianes et des oiseaux de carton sur les murs aux couleurs neutres. Il nous fallait fêter avec régularité, nous gaver de beignets et d'oursons en gélatine. Je pensais parfois aux maniaques contre lesquels mes parents me mettaient en garde. J'ai des bonbons dans ma voiture. J'ai perdu mon petit chien.

Assis à mon bureau, j'ai consulté mon évaluation mensuelle. À l'aide de calculs et de statistiques, on y estimait ma productivité, mon empathie, ma ponctualité, ma sociabilité, mon taux d'erreurs. J'étais en légère progression. J'ai fermé les yeux. Mes doigts bougeaient sur les touches du clavier, et j'entendais à peine le bruissement des conversations, les sonneries, les alarmes.

Le monde me semblait mieux ainsi.

J'ai pensé qu'on devrait ajouter «porter en tout temps des bouchons pour les oreilles» dans le manuel de formation. Je conservais mon exemplaire dans un tiroir, à portée de main. Sur la dernière page du cahier sont imprimés des conseils pour gérer le stress. Inspirer profondément. Expirer. Aller faire une promenade. Caresser son animal domestique. Seuls les poissons sont admis dans l'édifice.

Je me suis tourné vers Sophie, qui occupait le bureau voisin du mien. Elle remplissait un formulaire, déposé entre deux magazines consacrés aux régimes des vedettes. Je lui ai demandé ce qu'elle faisait. Je n'ai pas entendu sa réponse. J'ai dû retirer les bouchons de mes oreilles.

– Quoi ?

– Je rédige mon testament.

– Oui ?

– On peut le faire soi-même. Le gouvernement fournit gratuitement les documents sur Internet.

Sophie était jeune. Très jeune.

– Et pourquoi ? Je veux dire, pourquoi maintenant ?

– Je veux choisir qui prendra soin de mon chat s'il m'arrive quelque chose. Et qui héritera de mes disques des Beatles.

– Oui ?

Elle m'a regardé rapidement à travers la cloison vitrée qui séparait nos postes de travail.

– Tu devrais le faire aussi.

J'ai ri nerveusement. C'est ce que je fais lorsque je ne sais pas quoi dire.

– Je suis sérieuse. Tu devrais le faire aussi. On devrait tous le faire. Ce n'est pas parce qu'on n'a pas d'enfants ou de maison que ça n'en vaut pas la peine.

– Tu as raison, je suppose.

– Est-ce que tu veux être enterré ?

– Quoi ?

– Tu préfères être enterré ou incinéré ?

– Je n'y ai pas vraiment pensé.

– Je veux être brûlée. Mais avant, je veux qu'on expose mon corps. Avec ma robe mauve. Pas trop de maquillage. On peut spécifier ce qu'on préfère. C'est important.

J'ai hoché la tête avant de me mettre au travail.

J'ai répondu à des appels, rédigé des rapports. Un homme d'un certain âge m'a demandé quel était mon signe astrologique. Je lui ai répondu qu'hormis mon nom et mon numéro d'agent, je n'étais pas tenu de divulguer mes informations personnelles. Il a répliqué qu'il le connaissait, de toute manière. Il possédait un don.

J'ai appuyé sur le bouton «garde». Je me suis tourné vers Sophie pour lui raconter l'anecdote. Elle a levé les yeux au ciel. Elle avait déjà dû transférer l'appel d'une cliente qui ne se souvenait pas du numéro des urgences. Après avoir ingurgité plusieurs comprimés, la femme avait composé le premier numéro de téléphone qui lui était tombé sous la main. Une facture de notre compagnie traînait sur son comptoir. Elle avait dit à Sophie: «J'ai changé d'idée.»

La plupart des clients sont prévisibles. Ils se contentent d'émettre des insultes, de vagues menaces de poursuite ou des remarques à propos de la température.

Il m'arrivait de débrancher la ligne de mon téléphone sans raison particulière. Je me levais pour m'étirer, aller vagabonder sur un autre étage que le mien. Je m'approchais de l'une des grandes fenêtres pour observer les piétons minuscules se déplacer sur les trottoirs. Je songeais à tout ce qui pourrait mal tourner. À ce que je pourrais perdre. Puis j'allais chercher un café à la machine distributrice.

J'ai sursauté lorsque ma supérieure immédiate est apparue près de mon bureau. Elle tenait un récipient de plastique entre ses mains. Elle m'a offert un petit gâteau, couvert de glaçage. « Pour célébrer mon retour », a-t-elle dit en appuyant ses paroles d'un clin d'œil. Elle reprenait aujourd'hui ses fonctions, après un congé de maternité. Cette femme m'avait toujours mis mal à l'aise. Quelles que soient les circonstances, qu'elle les réprimande, les console ou les félicite, elle ne pouvait s'empêcher d'adresser des clins d'œil à ses interlocuteurs. J'ai pris une bouchée du gâteau, qu'elle m'a regardé mastiquer d'un air attentif. Je me suis dépêché de l'avaler, et je lui ai dit que c'était délicieux. Elle a baissé un peu la voix : « Je produis trop de lait ! Alors je le pompe et je m'en sers pour faire la cuisine. » Là-dessus, elle m'a gratifié d'un autre clin d'œil, avant de passer au bureau suivant. Je me suis levé, pris de l'envie d'aller vomir aux toilettes. Mais c'est passé, et je me suis rassis. J'ai jeté le reste du gâteau.

L'avant-midi m'a paru très long. J'ai consulté les nouvelles entrées sur la liste des clients aux noms étranges, régulièrement bonifiée par les employés des différents départements. Téléphonie résidentielle, téléphonie cellulaire, Internet, télévision, facturation, comptes en souffrance… J'ai observé avec attention la plante verte qui se trouvait sur mon bureau. Elle demeurait chétive, malgré des mois de soins méticuleux. Je lui avais même donné un nom.

À midi, j'ai remis les bouchons dans mes oreilles. Je suis sorti pour m'acheter quelque chose à manger. Les gens me croisaient en silence, comme dans un rêve. Sandwich ou Général Tao ? Peut-être que la ville était devenue le fond de l'océan. Les êtres et les choses s'y déposaient, s'élançaient vers la surface, se pourchassaient. En douceur.

Je marchais dans une cité perdue, engloutie.

Je me suis arrêté devant un gratte-ciel. Ses grandes fenêtres étaient illuminées par le soleil de midi. En plissant les yeux, j'ai cru me voir, silhouette floue réfléchie par la vitre et la lumière. J'aurais pu rester ainsi. Je ne ressentais pas l'urgence de faire autre chose.

Camille adopte un serpent

J'ai acheté le serpent dans une animalerie. Je ne l'ai pas vu tout de suite. Je suis entrée un peu par hasard, en faisant une marche dans mon quartier. Il était dissimulé au milieu des plantes artificielles, dans sa cage de verre. J'ai dû m'approcher. Faire un effort pour l'apercevoir. C'était un python. Il était encore jeune. Je me suis dit que je pourrais le ramener chez moi.

J'aurais préféré un chat ou un chien, mais le propriétaire de mon appartement interdisait les animaux à poils. Il ne voulait pas de dégâts.

Après quelques jours de cohabitation, j'ai décidé que le reptile me convenait. Il était différent des autres animaux domestiques. Il imposait une sorte de respect. Posséder une telle bête est comme couvrir sa peau de tatouages. Les gens vous perçoivent différemment. Vous endossez une nouvelle personnalité, un peu mieux définie que la précédente.

Je parlais souvent au serpent. Je ne lui avais pas donné de nom. Je lui disais: «Bon matin, Serpent» et «Bonsoir, Serpent». Des phrases plus longues, aussi. Des réflexions sur les gens qui m'entouraient ou sur les nouvelles que je lisais dans le journal. Parfois, je glissais ma main à l'intérieur de sa maison. Je touchais la peau du reptile, du bout des doigts. C'était frais. Et lisse. Comme un sac à main.

Je le regardais, les yeux dans les yeux. Je n'arrivais pas à déchiffrer son expression. J'ai emprunté un livre à la bibliothèque. *Les serpents: ce qu'il faut savoir.*

«Leurs yeux ont des paupières soudées et transparentes qui leur confèrent un regard fixe.»

À cette époque, je souffrais d'insomnie. J'avais tout essayé. Le lait chaud, les exercices de respiration, les somnifères, le décompte de mes insatisfactions, des araignées et des fissures du plafond.

«La plupart des serpents ont une coloration qui se confond avec la roche, la végétation ou tout autre substrat sur lequel ils vivent.»

Une nuit, alors que j'avais abandonné l'idée de m'endormir, j'ai commencé à arpenter l'appartement. J'ai fait le tour des trois pièces. Sans trop y penser, je me suis approchée du vivarium. J'ai soulevé le couvercle.

J'ai sorti le serpent et je l'ai déposé au pied de mon lit. Après quelques minutes, il s'est enroulé sur lui-même. J'ai un peu hésité. Je me suis finalement étendue sous les draps. J'ai glissé mes pieds sous le corps du serpent. Il était agréablement lourd. Un poids réconfortant.

Je me suis endormie. Un sommeil de plomb, jusqu'au matin.

Tous les soirs, avant d'aller au lit, je sortais le serpent de sa cage et je le déposais sur mon édredon. Je le remettais dans sa cage le lendemain, avant de déjeuner.

Au fil des semaines, j'ai remarqué que le serpent déroulait son corps pendant la nuit. Sa tête se rapprochait tranquillement de la mienne. Puis un matin, à mon réveil, le serpent était allongé à mes côtés. J'ai trouvé ça amusant. C'était comme un amoureux. Je me suis promis de raconter l'anecdote à mes collègues de travail.

Le python a continué à passer ses nuits ainsi, à mes côtés, jusqu'à ce que j'entame le chapitre «Prédation et nutrition».

Quelque chose s'est coincé au fond de ma gorge. L'impression d'avoir été leurrée, mais sans la colère, sans aucune compensation. Mon sommeil est redevenu léger.

«Grâce à ses mâchoires qui peuvent se désarticuler, l'animal est capable d'engloutir des proies plus volumineuses que lui.»

J'ai arrêté de sortir le serpent de son vivarium. Je continuais d'y déposer de la nourriture, mais je ne m'attardais pas. J'évitais son regard, surtout. Un jour, il a disparu. J'ai fouillé tous les recoins de l'appartement, j'ai ouvert tous les tiroirs et soulevé tous les meubles, mais je ne l'ai pas retrouvé. J'ai pensé qu'il s'était probablement logé dans la tuyauterie.

Mes heures de sommeil allaient en se raréfiant. La nuit était devenue une torture. Je fréquentais les bars. Je rentrais de plus en plus tard.

Après quelque temps, mon bail est arrivé à son terme, et je ne l'ai pas renouvelé.

Le voisin de Léanne

Il se faisait tard, et le voisin n'était toujours pas rentré. Je tentais de me rassurer. Étendue sur mon lit, je regardais les étoiles fluorescentes collées au plafond de ma chambre. Je répétais mon prénom à voix haute, jusqu'à ce qu'il n'ait plus aucun sens.

Tous les jours, je l'entends à travers les murs mal isolés. Il vit seul, comme moi, sur le même palier. Je sais quand il s'affaire dans sa cuisine, quand il a une mauvaise toux, quand il referme une porte derrière lui. Les tuyaux de son appartement grondent dans les murs. J'entends parfois le son de sa voix, diffusé en son absence par le répondeur.

J'ai commencé à calquer mon horaire sur le sien. Les sonneries de nos réveils résonnent à l'unisson. Nous nous levons pour mettre en marche la cafetière, écouter la météo.

Au départ, c'était comme un jeu, mais depuis quelques semaines, je ne pouvais plus m'endormir sans lui. Je l'attendais. Il déverrouillait la serrure, enlevait ses souliers, allumait la télévision. Je la regardais avec lui. Je tendais l'oreille, j'essayais de capter un indice. De syntoniser la même chaîne.

Lorsque le silence s'installait à nouveau, je savais qu'il était temps. Je me brossais les dents. Il s'étendait dans son lit. Je fermais les yeux et nous nous endormions.

Mais pas cette fois. J'étais inquiète. Je me demandais où le voisin se trouvait et avec qui. S'il lui était arrivé quelque chose. Je l'imaginais sur un trottoir glacé, inconscient. J'avais envie de composer des numéros de téléphone au hasard, jusqu'à ce que quelqu'un me rassure.

J'ai enfilé mes bottes et mon manteau, pardessus mon pyjama, et je suis sortie. Pendant près d'une heure, j'ai marché dans les ruelles du quartier. Je ne savais pas ce que je cherchais. Je m'attendais à demi à entendre un appel, un cri de détresse.

De retour sur mon palier, j'ai appuyé sur la sonnette du voisin, sans trop y penser. Je n'avais rien à lui dire, rien à lui demander. Il n'est pas venu répondre. J'ai tourné la poignée, au cas où. Il y a eu un déclic. J'ai appuyé sur la porte, et elle s'est entrouverte.

Son appartement était identique au mien. Mais pas tout à fait comme je l'avais imaginé. Après avoir fait le tour des pièces, j'ai passé en revue sa collection de films et de disques. Je me suis allongée sur son lit un moment. J'ai ouvert ses placards, inspecté son garde-manger, le dessous de son lit. J'ai commencé à lancer des choses par terre, à sortir les casseroles, renverser les tiroirs. J'ignorais ce que je cherchais.

Il y a eu un bruit dans le mur. Je me suis arrêtée. Je l'ai entendu une seconde fois. Un bruit sourd. J'ai compris qu'il provenait de mon appartement. J'ai posé mon oreille contre le mur.

La poupée de Sarah

Dans les toilettes réservées aux employés, j'ai enfilé l'uniforme blanc. La jupe, la blouse, les bas de nylon, les souliers confortables. J'ai remonté mes cheveux en queue de cheval. Un néon éclairait les tuiles du plancher et les cernes sous mes yeux. Je me suis regardée dans le miroir, pendant un long moment. J'ai appliqué un peu de brillant sur mes lèvres, une seconde couche de mascara sur mes cils.

J'ai traversé la jungle. Des éléphants, des lions, des tigres, des panthères, des singes, des zèbres, des cobras. En peluche. Une foule d'animaux sauvages, inoffensifs. Et quelques clients.

J'étais à New York parce que je participais à un programme d'échange universitaire. La bourse d'études que j'avais obtenue ne couvrait qu'une partie des frais d'hébergement et de restauration, et j'avais dû trouver un travail à temps partiel. Le jour de mon arrivée, j'avais pris part à un tour guidé de la ville. L'autobus rempli de touristes faisait un arrêt aux principales attractions. J'avais aimé Central Park et la vue de l'Empire State Building. Mais j'avais été encore plus impressionnée par l'immense magasin de jouets, FAO Schwartz. J'avais rempli une demande d'emploi sur place.

Le magasin venait d'ouvrir ses portes. Il était encore peu achalandé. Je me suis dirigée vers la pouponnière, un genre de réplique miniature de celle qu'on retrouve dans l'aile des naissances, à l'hôpital. Une petite femme blonde tenait Lily dans ses bras. On nous avait présentées, mais j'avais oublié son prénom. Quelque chose comme Joy ou Summer. Un nom qui est aussi un mot, un sentiment, une saison.

Je me suis penchée contre la vitre pour regarder de l'autre côté. Dans la pièce aux murs de carton roses, sept poupons reposaient dans leurs berceaux respectifs. Lequel choisir aujourd'hui ? Anna. David. Laurie. Thomas. Jenny. William. Les noms étaient indiqués sur des bracelets d'identification, semblables à ceux que portent les nouveau-nés.

Thomas. C'est mon préféré parce qu'il a les yeux bruns, comme les miens.

Ma collègue a émis un long bâillement.

Il me fallait choisir de nouveaux vêtements pour Thomas. Devant la petite penderie, j'ai hésité entre un maillot jaune et un maillot vert. J'ai finalement opté pour un pyjama bleu. J'ai changé le nourrisson, puis je l'ai enroulé dans une couverture, et j'ai mis un bonnet de coton blanc sur sa tête. La journée était plutôt fraîche.

Debout devant la pouponnière, je berçais Tommy. Tommy dans son pyjama bleu. Doucement.

Une fillette s'approchait. Elle m'a adressé la parole.

– Je peux prendre le bébé ?

Sa mère se tenait derrière. Elle l'a corrigée.

– Tu as oublié les mots magiques.

– S'il vous plaît.

Elle l'a reprise une seconde fois.

– S'il vous plaît… qui ?

– Madame.

Je me suis penchée vers elle.

– Bien sûr. Il s'appelle Thomas.

Elle a répété le nom, en deux temps. Tho. Mas. J'ai déposé la poupée dans ses bras. La mère me regardait, un sourire aux lèvres. Je lui ai rendu son sourire.

– Vous ne tenez pas le bébé correctement.

– … Pardon ?

– À cet âge, les muscles du cou ne sont pas assez développés pour soutenir la tête.

– …

– Vous devriez toujours vous assurer que sa tête est bien soutenue… Je vous ai vue. Sa tête n'avait aucun soutien.

– Mais ce n'est pas un vrai bébé.

– Vous ne donnez pas le bon exemple aux enfants.

À ce moment, la fillette a élevé la poupée au-dessus de sa tête et l'a projetée de toutes ses forces contre le plancher.

Gênée, la mère a récupéré le nouveau-né de plastique.

L'enfant s'est mise à pleurer.

– Il est mort.

La mère lui a tendu la poupée.

– Mais non, chérie, regarde.

– Noooonnn. Il est mort.

Blondinette observait la scène d'un œil vide.

Le visage de la mère se tordait peu à peu.

– Mort mort mort mort mort.

– Arrête ! Ce n'est pas un beau mot.

La fillette a poussé un cri, long et aigu.

La mère a agrippé l'enfant d'une main et m'a rendu la poupée de l'autre. Le cri long et aigu s'est éloigné, puis s'est éteint au bout de l'allée.

– Fuck.

C'est ce qu'a dit April, ma collègue, dont je me rappelais soudainement le prénom. Les jurons sont interdits dans le magasin.

J'ai serré Tommy contre moi. Ma main droite soutenait son cou.

Les pyramides

Je regardais un film stupide quand Éric a téléphoné. Éric est mon ami d'enfance. Nous avons grandi sur la même rue, fréquenté les mêmes écoles. À présent, nous n'avons plus beaucoup de choses en commun. Nous continuons à nous voir par habitude. Quelques mois auparavant, Éric et sa copine s'étaient laissés. Depuis ce temps, il n'allait pas très bien. Je ne comprenais pas pourquoi. Il ne m'avait jamais semblé particulièrement amoureux de Camille.

Tous les soirs, ou presque, il m'appelait pour discuter. Il voulait parler, sans avoir rien de précis à raconter. Nous épuisions vite les sujets de conversation, mais je n'osais pas raccrocher. Alors nous regardions la télé ensemble, en silence, dans nos salons respectifs. Parfois, je lisais ou j'allais à la toilette, sans le lui dire.

J'ai mis les sous-titres pour continuer à suivre le dialogue à l'écran. Il y a eu une bonne blague, et j'ai ri dans le combiné. Éric a recommencé à parler.

– Christophe.

– Oui.

– Je sens que je n'aurai jamais ce que je veux.

– … Mais qu'est-ce que tu veux, exactement ?

– Rien. Tout. Plus que ça.

J'ai soupiré. Je me suis levé pour m'étirer. J'ai eu envie de bouger, soudainement. J'ai commencé à me déplacer dans l'appartement.

– C'est la pyramide de Maslow.

– Quoi ?

J'ai regardé par la fenêtre. Sans vraiment regarder.

– Tu manges à ta faim. Tu as un toit sous lequel dormir. Ta vie n'est pas directement menacée. Tes besoins primaires sont comblés.

– … Rien à foutre des pyramides. Je ne suis pas heureux.

Le plancher était usé. Dans des milliers d'années, on y retrouverait peut-être l'empreinte de mes pieds.

– Alors tu tentes d'obtenir ce qui se trouve sur les étages supérieurs de la pyramide. L'amour. La reconnaissance. L'estime de soi.

– Est-ce que tu m'écoutes ? J'ai envie de mourir.

La cuisine était plongée dans la pénombre. J'ai ouvert la porte du réfrigérateur.

– Ce sont des besoins situés aux niveaux supérieurs.

Mes doigts effleuraient le plâtre des murs. Saisissaient des objets. Pour les poser ailleurs.

Je me suis promis pour une énième fois d'acheter une nouvelle bibliothèque. J'ai réuni les vêtements sales qui traînaient autour de mon lit en une pile plus ou moins compacte. Je ferais du lavage tout à l'heure.

– Je devrais aller vivre en Afrique, peut-être ? Aller mourir de faim loin d'ici ? Est-ce que j'aurais droit à ta pitié, Christophe, si je mourrais de faim en Afrique ?

Je suis retourné dans le salon. Machinalement, j'ai commencé à tourner une poignée de porte. Droite. Gauche. Droite.

Il ne comprenait pas. Moi non plus d'ailleurs. Je ne comprenais rien de rien à tout ça.

J'ai pressé le combiné du téléphone un peu plus fort contre mon oreille.

– Mais non. Mais non, Éric. Tu n'as pas besoin d'aller en Afrique.

Il a commencé à pleurer.

Après un moment, le silence est revenu sur la ligne. Je n'y tenais plus, j'ai raccroché.

J'ai baissé le thermostat. Et je me suis assis. Bien droit. Immobile. J'attendais le froid.

Audrey apprend à recycler

La journée avait été interminable, mais je me trouvais enfin chez moi. Il ne me restait qu'à gravir les trois étages de l'immeuble d'appartements, jusqu'au numéro 8. Au passage, j'ai soulevé mon bac de recyclage qui se trouvait sur le trottoir, parmi les autres bacs vides. Je repère facilement le mien.

On me l'a déjà volé. Il était réapparu la semaine suivante, le matin de la collecte, rempli du carton, du verre et de l'aluminium de quelqu'un d'autre. J'avais renversé son contenu sur le trottoir et j'avais écrit mon adresse dessus, avec un feutre noir. Sous l'effet de la colère, j'avais rajouté mon nom, suivi de quelques points d'exclamation. Comme à l'école primaire, lorsqu'il nous fallait identifier chaque crayon, chaque gomme à effacer.

J'ai monté les escaliers et posé le bac vert sur le palier. J'ai déverrouillé la serrure, puis je me suis penchée pour reprendre le bac. Quelques papiers s'y trouvaient, vraisemblablement jetés là par des passants, après la collecte. Des dépliants, une facture d'électricité. Une feuille a retenu mon attention. Elle avait été chiffonnée, mais je pouvais distinguer des mots écrits à la main.

J'ai déplié le papier froissé. C'était une lettre.

«Enculé, tu as détruit ma vie. J'ignore comment tu fais pour vivre, après ce que tu m'as fait. Je voudrais te tuer. Mais avant, je te ferais souffrir, longtemps. Vraiment longtemps. Tu n'es qu'un trou de cul.»

Il y avait un passage où l'écriture s'embrouillait et que je n'arrivais pas à lire.

«Je m'en vais bientôt.»

J'ai retourné la feuille. Au verso, il y avait une recette de pain aux bananes.

Je suis entrée chez moi et j'ai refermé la porte. J'ai laissé le bac sur le palier. J'ai rassemblé tous les ingrédients sur ma table de cuisine et j'ai suivi la recette. Minutieusement. Il ne me fallait oublier aucune étape. Plus tard dans la soirée, j'ai mangé un morceau de pain aux bananes, assise par terre devant la télévision. Je n'ai pas pris la peine de l'allumer. Le pain était encore chaud.

Le lendemain, j'ai mis la lettre sur mon réfrigérateur.

Elle reste en place grâce à un aimant en forme de carotte. Je m'arrête parfois pour en lire quelques mots, avant d'ouvrir la porte du réfrigérateur et d'empoigner la pinte de lait.

Sarah court la nuit

Vers onze heures, tous les soirs, j'écoute une ligne ouverte à la radio. Des voix exaltées balbutient des histoires de colère et de conspiration. De honte, aussi.

Ensuite, je m'installe devant la télé. Je regarde cette chaîne spécialisée où des gens rénovent des maisons, dressent des chiens, élèvent une famille nombreuse et se métamorphosent. Des experts enseignent aux téléspectateurs l'art de bien se vêtir et de cuisiner des gâteaux. Des femmes poussent des cris terribles. Des nouveau-nés jaillissent, couverts de sang.

Si le sommeil ne vient pas, j'enfile un pantalon d'exercice et un chandail de coton. Je chausse des espadrilles. J'avale un grand verre d'eau. Et je sors courir.

Bercée par le bruit des systèmes d'arrosage, je pose un pied devant l'autre. Je parcours méthodiquement les nouveaux quartiers. Leur tracé régulier.

Je n'ai plus le même visage. J'en suis certaine. Je ferme parfois les yeux pour courir dans le noir, un noir complet. Mes semelles de caoutchouc fondent un peu plus chaque nuit. Elles s'impriment sur la ville, dans les rues aux noms inoffensifs. Violettes, Roses, Mésanges. Pendant un instant, une joie informe me submerge. Une sorte de consolation.

Je tourne à droite, à gauche. Je ne sais plus où j'en suis, ni qui je suis. Mes poumons ont pris feu.

Pour le moment, je suis seule. Mais les autres finiront par me rejoindre. Toute la population insomniaque courra bientôt la nuit. En bandes organisées. L'an dernier, j'ai participé à un marathon, avec des centaines d'étrangers. Leurs souffles rauques et le claquement de leurs pieds battant à l'unisson m'enveloppaient, comme dans un grand chœur. Nous nous sommes dispersés à la ligne d'arrivée. On a mis une médaille autour de mon cou. J'ai demandé ce que j'avais fait pour la mériter. On m'a répondu que tous les participants en recevaient une.

Je repère les beaux parterres, les mieux entretenus. Un lièvre de plâtre attire mon attention. Je ralentis. Je m'aventure sur l'herbe fraîchement coupée. Je prends le lièvre dans mes bras. Il est lourd. Je l'installerai dans mon salon. Avec les autres. Les flamants roses, les nains, la grenouille, le labrador et l'autel dédié à la Sainte Vierge. C'est mon sanctuaire.

Lorsqu'il sera complet, je pourrai peut-être dormir la nuit.

Avant que le jour se lève, je rentre chez moi. Pour m'étendre dans ma voiture ou sur le divan, la gorge sèche et la peau humide. Pour m'éveiller au son d'une alarme, d'une portière que l'on claque, du cri d'un enfant.

Christophe et la disparition

Ton chat était porté disparu depuis une semaine. Tu étais inquiète. Tu croyais que quelque chose n'allait pas, quelque part. Tu croyais que nous serions bientôt submergés. Les chats sont portés disparus, puis les poumons s'emplissent d'eau. Des courants sous-marins nous emportent. Une nuit, ton chat avait mangé le bouquet de fleurs qui se trouvait dans un vase sur la table de cuisine. Il s'était enfui lorsque tu avais ouvert la porte au petit matin. Il n'était pas revenu depuis.

Au nord de Montréal, le ciel était blanc. Nous marchions le long du boulevard Crémazie, sous l'autoroute 40. Nous cherchions ton chat, sans trop y croire.

Tu m'as raconté qu'il s'était déjà enfui auparavant. Ses miaulements t'avaient réveillée, une nuit. Tu étais sortie sans prendre la peine de mettre tes lunettes et de verrouiller ta porte. Tu avais cru l'apercevoir, malgré ta vision brouillée. Tu t'étais approchée et l'avais attrapé. Pendant quelques secondes, il était resté dans tes bras. Puis, il avait craché très fort. Ton chat ne crache jamais. Il avait tenté de te mordre. Le cœur battant, tu l'avais déposé par terre. Tu étais remontée chez toi. Tu avais verrouillé la porte.

Tu as crié son nom. Un appel bref et soudain. Le bruit des véhicules couvrait l'urgence de ta voix. J'avais peine à t'entendre.

Nous avons atteint le château. Ce n'était pas un vrai château, seulement la façade d'un commerce qui présentait l'aspect d'un palais. Comme dans les contes de fées. Avec des tourelles en stuc et des couleurs pastel. Une couche de poussière grise s'y était déposée. À travers une fenêtre, on servait de la crème glacée. Nous nous sommes arrêtés. Tu n'avais pas faim, mais tu as mangé une glace au chocolat avec empressement, dans le stationnement du château. Ton regard était posé sur les voitures et les camions qui filaient et défilaient, tout près de nous.

J'avais entendu quelque part, dans une fête ou peut-être dans la queue au supermarché, que la principale cause de mortalité chez les chats domestiques est le saut du haut d'un balcon. Même s'ils retombent sur leurs pattes, la chute peut être fatale.

Avant de disparaître, le chat avait vomi sur le plancher de ton salon. Tu l'avais vu plus tard, lorsque tu avais posé un pied dans la matière visqueuse. En te dirigeant vers la salle de bain, tu avais laissé des traces derrière toi. Assise sur le rebord du bain, tu avais fait couler l'eau. Il aurait fallu du savon. Mais tu pensais à l'avenir et tu ne pouvais plus bouger.

Nous avons rebroussé chemin, à l'ombre des structures de béton.

Tu as pensé offrir une récompense. Agrafer des avis de disparition sur les poteaux de téléphone du quartier. Seulement, tu n'arrivais pas à fixer un prix.

Entre le château et ton appartement, une église faisait face à l'autoroute. Elle était très grande, très belle. Tu as tenu à y entrer. Nous nous sommes assis sur un banc. Nous étions seuls. Je n'aime pas les églises. Dans le silence des lieux, nous entendions avec plus d'insistance le murmure de la circulation. Tu as joint tes mains. Je savais que tu priais pour le chat. J'ai pensé qu'il était probablement mort près de chez toi, sous les roues d'une voiture. La lumière du jour semblait plus réelle à travers les vitraux. Je me suis aperçu que je ne saurais pas pour qui ou pour quoi prier. Je ne l'avais pas fait depuis des années. Il y avait tant de choses pour lesquelles demander de l'aide, tant de choses qui se méritaient ou ne se méritaient pas. J'ai eu envie de fermer les yeux. Ma tête s'est abaissée. Et j'ai prié pour le chat, pour son retour.

Le manège

Il y avait à nouveau des manèges dans le stationnement du centre commercial. Une grande roue. Un carrousel avec des chevaux inanimés. Des stands de tir et de barbe à papa. Des autos tamponneuses dans lesquelles il est possible de se heurter en toute sécurité. Un vaisseau spatial à la peinture écaillée, conçu pour la terre ferme. Les gens en sortent étourdis. Cette foire s'arrête dans le stationnement tous les ans.

Il n'y avait presque plus de savon à lessive. Nous avions convenu d'aller en acheter après le souper.

La foire semblait être tombée du ciel. Atterrie là par hasard. Dressée entre des rangées de voitures.

C'était beau, et j'ai voulu y aller. J'ai jeté mon dévolu sur les chevaux.

J'ai traversé la parcelle de stationnement qui m'en séparait, comme hypnotisée, en courant à moitié. À l'ombre des magasins et de leurs grandes surfaces.

Tu m'as suivie. Tu as dit que c'était pour les enfants.

Je n'ai pas répondu.

Tu as murmuré quelque chose à propos du savon.

Tu n'as pas bougé.

J'ai dû payer quatre dollars pour obtenir un billet. Je me suis installée sur un cheval gris. J'ai attendu. Un long moment. Personne d'autre n'est monté. Le manège a démarré. Le cheval galopait, transpercé par une barre de métal. Il hennissait en silence, dans un mouvement circulaire. Tout autour, il y avait une musique d'orgue et des lumières qui brillaient, faiblement.

Tu es resté près du manège. Le carrousel tournait. Je tournais avec lui. Lorsque mon cheval est passé près de toi, j'ai souri. J'ai crié ton nom. «Christophe». Mais ton regard était posé ailleurs.

Le cheval a poursuivi sa course, pétrifié. Il m'entraînait au-delà du monde ou du stationnement.

Conte de Noël

Je tentais d'emballer le cadeau. De bien l'emballer. Mais je n'y arrivais pas. Les coins étaient fripés, les rebords, trop épais. Le papier adhésif se décollait. J'ai pensé aux emballages lisses et parfaits de mon enfance, que j'arrachais rapidement, presque violemment. Ma mère savait emballer les cadeaux. Elle savait aussi parler aux gens et faire des tartes aux pommes. En fin de compte, peut-être que la vie se résume à ça.

J'irais au centre commercial. Là-bas, des gens coiffés d'un bonnet rouge emballent les présents en échange de quelques dollars.

Le carillon a résonné.

C'était la voisine et, juste derrière elle, ses deux jeunes fils.

– Camille ! *Thank God*, tu es là ! Tu avais des plans pour aujourd'hui ?

– Euh…

– Ma grand-mère vient d'entrer à l'hôpital. Est-ce que ça te dérangerait de garder les garçons ? Je sais que c'est beaucoup demander, mais Mathieu travaille et je n'arrive à joindre personne d'autre. J'aimerais mieux qu'ils ne passent pas la veille de Noël à attendre aux soins intensifs.

– OK.

– Merci ! Je t'en dois une. Je vais repasser les chercher ce soir. C'est correct ?

– Oui, oui.

– Merci ! Bon, vous allez être sages ?

Elle n'a pas attendu la réponse. Elle a posé un baiser sur le front de ses fils avant de nous laisser, raides et silencieux, dans l'entrée. J'avais déjà gardé le plus jeune alors qu'il commençait à peine à marcher. J'ai tenté de le soulever dans mes bras, mais il était trop lourd, déjà. J'ai abandonné à mi-chemin. L'aîné a dit qu'il y avait une drôle d'odeur chez moi.

Je ne savais pas quoi dire. Par où commencer. Je leur ai offert des céréales. Ils ont préféré tirer les moustaches du chat.

Je n'aime pas les enfants. Je suis sortie sur le balcon pour fumer une cigarette. Il me fallait rassembler mes idées, concevoir un plan. J'ai pensé qu'on avait récemment retrouvé du perchlorate, une composante de carburant à fusée, dans plusieurs sortes de préparations pour nourrisson.

J'ai décidé de faire la maison en pain d'épices. La veille, dans un magasin à grande surface, j'avais acheté une boîte dans laquelle se trouvaient des pièces précuites. Il ne restait qu'à les assembler. Même les décorations étaient incluses. C'était une bonne idée. Les enfants aiment cuisiner. Et la cuisine, c'est quelque chose de productif. On n'a pas à s'efforcer de prendre une voix aiguë, ni à imiter des bruits de moteur. Les garçons ont accepté de m'aider. Nous avons monté les murs, le toit. Nous les avons soudés ensemble avec des joints de glaçage blanc.

Il ne nous restait plus qu'à orner notre maison de bonbons aux couleurs vives. Dans le salon, le téléphone a sonné. C'était ma mère. Elle voulait savoir à quelle heure je serais chez elle le lendemain. Si j'arrivais assez tôt, elle pourrait emballer mes cadeaux.

Lorsque je suis revenue dans la cuisine, les garçons avaient vidé le contenu d'un cendrier sur la maison en pain d'épices. Ils m'ont regardée d'un air grave. Ils ont dit que la cigarette, ce n'était pas bon. J'ai répliqué que ce n'était pas une raison pour gâcher la maison. Puis je leur ai expliqué que je ne fumais que lorsque j'étais énervée, et jamais dans l'appartement. L'aîné a répété que ce n'était pas bon.

J'ai eu un haut-le-cœur. Je pouvais sentir la cendre, au fond de ma gorge.

J'ai décidé qu'ils iraient se reposer dans la chambre d'ami. Une sieste, c'est ce que font les enfants méchants. Ils n'avaient pas sommeil. Je leur ai dit que ça viendrait. J'ai inséré un disque de chants de baleines dans la chaîne stéréo. Des sons lancinants ont envahi la pièce, accompagnés par une musique de synthétiseur, les bruits du vent et du ressac. J'ai refermé la porte.

Je me préparais à jeter leur ratage dans la poubelle quand une petite voix s'est élevée derrière moi :

– Qu'est-ce que tu fais ?

J'ai sursauté. C'était le plus jeune. Il était très pâle. Il semblait avoir rapetissé.

– Ce n'est pas une belle maison.

– J'ai peur.

J'ai soupiré.

– Il n'y pas de raison d'avoir peur.

Mais il semblait véritablement terrifié. J'ai déposé la maison sur la table avant de me pencher vers lui.

– De quoi tu as peur ?

– Des baleines.

– Et pourquoi ?

– Parce qu'elles font des bruits pas normaux. Elles sont sûrement méchantes. Ou peut-être qu'elles sont juste tristes.

– Les baleines ne sont pas tristes.

– Comment tu le sais ?

Je n'ai pas pu m'empêcher de le serrer dans mes bras. Je lui ai servi un verre de lait. Pendant qu'il le buvait, j'ai fouillé dans une garde-robe, à la recherche de mes vieux jeux de société. J'ai jeté mon dévolu sur *Destin*. « Le jeu de la vie. »

Nous nous sommes assis autour de la table. Son frère est venu nous rejoindre. De la boîte usée, j'ai sorti le plateau, les billets d'argent, les cartes et les petites voitures colorées dans lesquelles étaient percés des trous. On pouvait y insérer des pions roses et bleus. Ils symbolisaient les membres de notre famille.

J'ai expliqué aux enfants le fonctionnement du jeu. Ils m'ont écoutée, attentifs.

Pendant longtemps, nous avons pigé des professions, des salaires. Nous avons fait des économies, emprunté, investi et perdu de l'argent. « Va à l'université ou entreprends une carrière. » Acheté des propriétés, accumulé des filles et des garçons. Nous leur avons donné des noms, payé des études. « Accident de voiture. Débourse 10 000 $ si tu n'es pas assuré. » Nous avons réussi et raté nos vies, encore et encore. La plupart du temps, nous ne finissions pas la partie entamée. Nous nous arrêtions avant d'atteindre les maisons de retraite. L'un d'entre nous faisait faillite, et nous recommencions.

Nous avons passé le reste du réveillon à regarder la télé. Il y avait un film de Noël, mais les garçons ont préféré la chaîne qui diffusait en permanence des émissions de chasse et pêche. La maison trônait sur la table de la cuisine, intacte.

La démonstration

Au rez-de-chaussée du magasin, des femmes d'un certain âge accueillaient les clients avec une bouteille de parfum. Les odeurs m'avaient donné mal à la tête. Je me tenais sur l'escalier roulant, hissé mécaniquement jusqu'au prochain étage. Les marches étaient englouties une à une, devant moi. C'était le début de la semaine, en avant-midi, et il n'y avait pas beaucoup de gens dans les magasins. J'avais pris un jour de congé. Je devais acheter de nouvelles serviettes de bain. Je n'en possédais qu'une seule. Et elle était trop mince. Il y avait des palmiers dessus. Avec mes vêtements, c'est tout ce que j'avais emporté. Une serviette, le lecteur de disques compacts, la ventouse, les pots d'épices et quelques chaises. Le reste appartenait à Camille.

La dernière marche a disparu sous moi. J'ai presque trébuché. Je me trouvais à l'étage du mobilier de maison. Je ne voyais personne, à l'exception d'un autre client, assis dans un fauteuil, devant un écran de télévision. Il regardait une partie de golf, sans son. Dans un faux salon, avec des meubles de démonstration et des plantes de plastique.

Il me faudrait acheter un divan, tôt ou tard. J'ai pénétré dans le dédale de pièces sans murs ni fenêtres. J'ai erré un peu avant de m'installer dans l'un des salons reconstitués. J'ai opté pour un divan en cuir noir. Un film d'action était diffusé sur un téléviseur de quarante pouces. Une voiture en poursuivait une autre. Il y a eu une cascade spectaculaire et une explosion. Le divan était confortable. Le film s'est terminé sans qu'on m'embête. J'ai choisi un autre salon, dans lequel était présenté un match de football. Je me suis allongé sur un grand canapé. Vers la fin de l'après-midi, un vendeur est venu me demander si j'avais besoin d'aide. Je lui ai répondu que je réfléchissais. Presque tout de suite après, je suis rentré chez moi sans avoir acheté quoi que ce soit.

Mais je suis revenu la semaine suivante. J'avais emporté un petit sac de chips. Après m'être assuré qu'il n'y avait personne en vue, je me suis installé sur un divan et j'ai ouvert le sac. Je m'étais promis de faire un choix, de faire au moins un achat, mais l'avant-midi a passé sans que je prenne la moindre décision.

J'ai dîné à la foire alimentaire du centre commercial. À la table voisine, une femme aux cheveux frisés lisait un journal. Je me suis senti découragé, soudainement. J'en ai perdu l'appétit. Je me suis forcé à manger rapidement avant de retourner au magasin. Cette fois, j'ai procédé de façon méthodique: j'ai consulté un plan des étages et je suis monté dans l'ascenseur.

J'ai trouvé des serviettes épaisses, de qualité. J'ai discuté pendant un bon moment avec la vendeuse qui m'a conseillé. Je voulais être certain de faire le bon choix. Mon achat en main, j'ai fait le tour du rayon literie, à la recherche de l'ascenseur. Mais je ne le voyais pas. Je suis revenu sur mes pas. La vendeuse avait disparu, et j'étais désorienté. Sans m'en rendre compte, j'ai abouti dans le rayon des batteries de cuisine. J'ai finalement emprunté les escaliers roulants, en me disant que je finirais bien par trouver la sortie.

Deux niveaux plus bas, j'ai constaté que j'étais de retour à l'étage des meubles de démonstration. J'ai décidé de regarder une émission, une dernière, avant de rentrer chez moi.

Les frayeurs d'Audrey

C'était vendredi, et nous avions loué les *Jaws* au club vidéo. Nous nous fréquentions depuis quelque temps. Nous avions essayé les sorties au restaurant, au musée et au cinéma, sans trop de succès. Puis un soir, nous étions restés chez moi, et je m'étais sentie soulagée, délestée de la tension, du poids des attentes. C'était presque comme si nous partagions déjà un passé, des enfants, une hypothèque. Depuis, nous louions des films tous les vendredis.

Un monstrueux prédateur s'attaque aux hommes qui nagent dans la mer. Il détecte de très loin le mouvement des bras et des jambes, leur va-et-vient. Les membres déchiquetés jaillissent de l'eau, entre les énormes mâchoires remplies de dents et ces petits yeux noirs, sans âme. La lutte semble toujours très longue. Les cris désespérés s'étirent. Des filets de sang se mêlent à l'eau turquoise.

– Je ne mettrai plus jamais les pieds dans l'eau.

C'est ce que j'ai dit.

– Même dans une piscine ?

– Ce sont des créatures rusées. Elles peuvent emprunter des voies souterraines. Se faufiler à l'intérieur des terres.

– Hum.

– Quand j'étais petite, je croyais que les crustacés vivaient dans la tuyauterie. Et qu'un jour ils surgiraient de l'évier ou de la baignoire. C'était mon pire cauchemar.

– Je vais faire du popcorn.

Nous étions rendus au troisième volet de la série. Il y en avait quatre au total.

Tu es revenu quelques minutes plus tard, un grand bol entre les mains. Soudainement, je ne comprenais pas pourquoi nous avions loué ces vieux films.

La semaine précédente, c'était les zombies. Une mariée, une armée, des enfants, des Anglais, des danseurs. Tous des zombies.

C'était peut-être le mois de mars. La dépression, la neige qui ne fond qu'à moitié, un restant de grippe. J'ai appuyé sur « pause ».

Je suis allée dans la salle de bain et j'ai refermé la porte derrière moi. J'ai ouvert l'armoire à pharmacie. J'ai empoigné la bouteille de crème solaire et j'ai dévissé le bouchon. Je l'ai placée juste sous mon nez et j'ai pris une grande inspiration. L'effet est presque instantané. Un vague parfum de noix de coco. Et quelque chose d'autre. Une combinaison d'ingrédients chimiques. Je me sentais emplie de chlore et d'eau salée. Un grand soleil, très fort.

Tu es venu frapper à la porte.

– Ça va ?

– Oui, j'arrive, Christophe.

Tu n'as pas bougé. Tu ne disais rien, mais je sentais le poids de ton corps contre la porte.

J'ai pris une seconde inspiration. Puis j'ai ouvert les yeux. J'ai remis la bouteille à sa place, dans l'armoire. J'en ai profité pour y remettre de l'ordre. J'ai déplacé deux ou trois choses, jeté un flacon de médicaments périmés.

Je me sentais un peu mieux.

Je suis revenue dans le salon. Tu étais assis sur le divan.

– Je n'ai plus envie de regarder le film.

– Moi non plus.

Tu as mis une poignée de maïs soufflé dans ta bouche. Tu ne voulais pas rentrer chez toi. Pas tout de suite. Tu m'as demandé ce que je comptais faire le lendemain.

– Je ne sais pas.

– Moi non plus.

– J'aimerais connaître l'avenir. Je vais peut-être aller consulter une voyante.

– C’est inutile.

– Ma cousine en connaît une bonne. Toutes les prédictions qu’elle lui a faites se sont réalisées.

– Comme quoi ?

– Elle lui a prédit qu’elle vivrait de grands changements. Et c’était vrai. C’est arrivé.

– Bon.

– La voyante lui a aussi dit que son copain n’était pas l’homme de sa vie. Elle est encore avec lui, mais elle m’a dit dernièrement que ça va de moins en moins bien entre eux.

J’ai repensé à ce Noël à la campagne. Il y avait eu une panne d’électricité. Toute la famille s’était réunie autour de la grande table. Ma tante avait mis sur sa tête une lampe frontale. Je ne sais pas où elle l’avait dénichée. Des cartes de tarot étaient étalées devant elle. Ma tante ne connaît rien aux prédictions. Elle avait acheté le jeu dans une vente de garage parce que les images lui plaisaient. Un à un, nous tirions des cartes. Ma tante les alignait au centre de la table. Puis à la lumière du casque, elle lisait notre avenir dans le guide d’interprétation vendu avec le jeu.

– Même si c’était vrai, je ne voudrais pas savoir.

– Pourquoi ?

– Je n’en vois pas l’utilité. Si ça va arriver de toute manière, à quoi bon le savoir ?

– Pour se préparer.

– Se préparer comment ?

– Je ne sais pas...

– Un des trucs bien à propos de la vie, c'est la surprise. Pas la surprise en elle-même, mais l'idée de la surprise.

– Je crois que je vais lui téléphoner pour prendre rendez-vous.

J'avais envie de me lever et de retourner dans la salle de bain. Mais je ne l'ai pas fait. Il y a eu un silence. Puis tu as recommencé à parler.

– Est-ce que tu sais ce qui arrive aux colombes que les mariés lancent dans les airs ?

– Quoi ?

– Les colombes qu'on libère aux mariages. Sur les marches des églises. Qu'est-ce qu'elles deviennent ?

– J'en sais rien.

– Est-ce qu'elles sont condamnées à mener une vie misérable au milieu des pigeons et des goélands ? Est-ce qu'elles doivent se contenter des restes abandonnés par les touristes ? J'aimerais le savoir.

– ...

– Peut-être qu'en fait, les pigeons *sont* les colombes libérées aux mariages. Elles deviennent sales et vulgaires avec le temps.

– Pourquoi me parles-tu de ça ?

– De quoi d'autre est-ce que je pourrais te parler ? Tu connais tout de ma vie. Et c'est toujours moi qui parle.

Ta voix s'est un peu radoucie.

– Raconte-moi quelque chose sur toi. Une chose qui t'est arrivée cette semaine.

– Je ne sais pas…

– Allez.

J'ai pensé te raconter l'histoire des vers dans ma poubelle. Des petits vers blancs qui se tortillaient. J'avais crié. Et j'avais été prise d'un haut-le-cœur. Je ne savais pas quoi faire, comment réagir. J'avais versé une bouteille d'eau de Javel dans la poubelle. J'avais refermé le couvercle. Je n'ai pas regardé depuis. En fait, j'évite d'aller dans la cuisine. C'est l'eau de Javel. L'odeur m'étourdit.

– Bon. Cette semaine, j'ai acheté de la vaisselle incassable.

– Incassable, vraiment ?

– Oui. On peut l'échapper par terre. Elle demeure intacte. Les bords ne s'effritent pas. On peut la mettre au four et au lave-vaisselle. C'est fait d'un verre spécial. Une technologie brevetée, ou quelque chose du genre. Garantie trois ans.

– Ce n'est pas vraiment incassable si ça peut casser au bout de trois ans.

– Je suppose. Mais trois ans, c'est déjà pas mal, non ?

– C'est vrai.

Lorsque j'étais enfant, ma mère m'avait offert un grand livre pour développer le vocabulaire. Il n'y avait pas de texte ; à côté de chaque image était simplement inscrit le mot correspondant. Des scènes du quotidien y étaient illustrées. Le jardin, la campagne, la ville, l'autoroute, le pique-nique, la maison en feu. Les personnages étaient tous des animaux. Des chats, des cochons, des castors. Il y avait aussi la famille d'asticots. De petits asticots qui portaient des vêtements. Veston, cravate, robe, pantalons. Ils prenaient un déjeuner dans la cuisine. Table, chaise, cuillère, tasse, journal, assiette, rôties, œufs, café.

– Ce n'est pas normal.

– Quoi ?

– Nous sommes les personnes les moins normales que je connaisse.

Tu as haussé les épaules, juste un peu. L'expression de ton visage était difficile à définir. Elle se situait quelque part entre la tristesse et l'amertume. Une sorte d'incompréhension. Comme si tu avais échoué à un examen pour lequel tu avais étudié longtemps, jour et nuit.

Je me suis levée. C'était le signal. La soirée prenait fin. Tu t'es levé à ton tour.

– Qu'est-ce qu'on regarde la semaine prochaine ?

Tu as esquissé un sourire. À mi-chemin entre le soulagement et la reconnaissance.

– J'ai pensé aux robots tueurs.

– D'accord, on en reparlera.

Après ton départ, j'ai eu envie de regarder sous mon lit. D'ouvrir les portes des garde-robes. Mais je ne l'ai pas fait.

Les grands

Éric mangeait ses céréales en pyjama. Assis par terre, devant la télé. Il était captivé par un dessin animé. Il avait trop bu la veille. J'étais sur le divan. Je pliais ses vêtements, les déposais dans le panier à linge. Il s'est retourné vers moi. Il m'a souri avant de reporter son attention sur la télévision.

Éric avait été malade. J'avais nettoyé, puis j'avais frotté son dos jusqu'à ce qu'il s'endorme.

Il sentait l'alcool et le vomi. L'odeur avait imprégné les draps. En les suspendant sur la corde à linge, j'ai pensé à ce jeu de mon enfance. J'étais accroupie sous un parachute tenu par une ronde de petites mains. La toile ondulait, reproduisait le bruit du vent. J'étais censée courir, atteindre l'autre extrémité, mais je ne bougeais pas, alors que l'immense toile colorée s'abaissait lentement sur moi.

Plus tard, Éric s'est rasé et a pris sa douche. Il a enfilé les vêtements que j'avais soigneusement pliés. Il s'est installé devant l'ordinateur. Il a travaillé un moment. Puis il s'est arrêté et a crié mon nom.

– Camille !

– Quoi ?

– …

Je sentais qu'il n'avait rien de précis à me demander. Il voulait simplement s'assurer que j'étais là, que j'étais toujours là, prête à lui répondre. Comme cet enfant que je gardais parfois les samedis soirs, quand j'étais adolescente. Il était au lit depuis quelques minutes quand il me lançait immanquablement : « Bonne nuit, Camille ! ». Je devais aussitôt répondre « Bonne nuit, Étienne ! », et ainsi de suite, jusqu'à ce qu'il s'endorme.

– Je voudrais une maison.

Je me suis demandé si elle serait en paille, en bois ou en briques.

– T'as déjà pas mal de choses.

– Oui, mais une maison, c'est quelque chose de solide.

– Il faut acheter du lait. Tu as fini la pinte avec tes céréales.

Éric a fait comme si je ne demandais rien. J'ai répété.

– Pourrais-tu y aller ?

– Hum.

– C'est ton tour.

– … J'irai quand j'aurai fini mon paragraphe.

Quand Éric est parti au dépanneur, j'ai fermé les yeux. J'aurais pu m'asseoir dans la garde-robe et refermer la porte. Dans l'obscurité, j'aurais relevé mes genoux. J'aurais enfoui ma tête entre mes bras.

J'ai entendu les clés tourner dans la serrure. J'ai ouvert les yeux. Précipitamment. Mes joues étaient chaudes.

– J'ai acheté des bonbons. C'est déjà presque l'heure de souper… Je ne crois pas que j'arriverai à finir mon paragraphe.

On a mangé les bonbons au lit. Puis on s'est chatouillés jusqu'à l'épuisement. Dans les relents aigres de la nuit. Sous une tente de couvertures.

Jour de vacances

Je suis sortie de la cabine, incertaine. Je t'ai aperçu, au milieu du vestiaire. Tu m'as fait signe. Nous avons entassé nos vêtements dans un casier. J'ai attaché la clé à mon maillot à l'aide d'une épingle de sûreté.

Il faisait froid, malgré le soleil.

Nous sommes sortis du vestiaire, déchaussés. Tout le monde allait pieds nus, même à la cantine.

Nous avons grimpé des dizaines et des dizaines de marches pour atteindre le sommet d'une glissade. Je pouvais voir le stationnement, les voitures, les petites personnes, le ciment. Tu m'as proposé de redescendre. Je t'ai répondu que ça irait, même si je n'en étais pas certaine.

Je me suis assise tout en haut de la glissoire. Je me suis donné un élan. Et l'eau m'a emportée. J'étais trop terrifiée pour crier. Je ne voyais plus rien. Qu'un immense tube bleu, infini. Et l'eau qui m'aspirait, m'entraînait beaucoup trop vite. J'ai atterri dans une sorte de récipient géant. Une cuvette. J'ai tourné contre ses parois, très rapidement. Là-haut, des gens me regardaient, groupés sur une passerelle.

Arrivée au fond, je suis tombée tête première dans un trou d'eau. Mon corps a frappé quelque chose. Un autre corps, peut-être. J'ai remonté à la surface. J'étais désorientée. J'ai suivi les petites flèches noires qui indiquaient la sortie. Tu m'as rejointe quelques instants plus tard. Tu as décrété que c'était génial.

Il y avait de plus en plus de gens. Ils affluaient de partout. Il faisait de plus en plus froid.

Nous nous sommes dirigés vers le château médiéval. Je boitais.

J'étais parcourue de frissons. Tu as dit que mes lèvres étaient bleues.

Nous avons attendu, longtemps, au milieu des gens qui s'observaient, classaient mentalement les corps en deux catégories. Les plus beaux et les plus moches que soi. Tout était évalué. La graisse, les muscles, les poils, les seins, les vergetures.

Nous avons dévalé un tunnel dans lequel brillaient des chauves-souris phosphorescentes. Un panneau annonçait « La rivière des enfers ». Nous avons rejoint les autres tubes. Nous avancions sur l'eau turquoise, au milieu d'un donjon. Avec des murs de pierre, des instruments de torture et des armures de chevaliers en toc. Des bruits d'épée et des cris d'agonie se mêlaient au chahut des jeunes vacanciers. Les yeux d'animaux empaillés bougeaient à droite, puis à gauche. Nous étions arrosés de part et d'autre. De la fumée s'élevait par intermittence. J'avais l'impression d'étouffer. Tout le monde s'amusait.

Je claquais des dents lorsque nous sommes sortis. Le vent s'était levé.

Tu m'as entraînée vers un immense bassin d'eau fabriquant des vagues artificielles. Les gens s'y entassaient, projetés les uns contre les autres par la force du courant. J'avais de la difficulté à avancer. Tu as nagé tout au bout de la piscine, là où les ondes se formaient. Je suis restée coincée au milieu. J'ai perdu l'équilibre. La force d'une nouvelle vague m'a projetée sous l'eau. Lorsque j'ai émergé, j'ai dû reprendre mon souffle, expulser le chlore de ma gorge. La femme à mes côtés avait perdu le haut de son maillot. Je n'arrivais pas à le lui dire. Elle continuait à sautiller en poussant des cris aigus.

Je suis sortie de la piscine. Je me suis assise sur le gazon. Après un temps, tu es sorti à ton tour. Tu voulais aller faire l'aventure des pirates et la glissade de la mort. Je t'ai dit que je t'attendrais. Tu as semblé un peu déçu, mais tu as déposé un baiser sur mon front.

À quelques mètres, des gens avaient laissé leurs effets par terre. Une glacière, des serviettes, des paires de sandales.

J'ai jeté un coup d'œil aux alentours, puis je me suis enroulée dans leur couverture et j'ai mangé leurs sandwichs, en t'attendant.

Sarah au printemps

Les autres employées, des adolescentes et des femmes dans la jeune vingtaine, avaient commencé à s'absenter du travail. Une à une. Puis elles avaient cessé d'appeler. Elles avaient épuisé leurs justifications. Elles restaient chez elles, à écrire des poèmes, ou alors elles vomissaient dans les lieux publics.

J'avais dit : « C'est le printemps. »

Je résistais. Je continuais à me présenter, les soirs et les fins de semaine. Je me postais derrière le comptoir, pour prendre les commandes, énumérer les boissons gazeuses offertes, encaisser l'argent, déposer les hamburgers sur les plateaux. Le McDonald's dans lequel je travaillais se trouvait à l'intérieur d'un Walmart, lui-même situé en bordure d'une autoroute, à la lisière d'une grande banlieue. Des personnes âgées y traînaient en permanence, sirotant un café, râlant contre des choses et d'autres.

Les autres clients ne prenaient pas la peine de discuter avec les employés. Encore moins de les saluer. Ils voulaient manger, obtenir une direction ou la clé des toilettes. Les touristes étaient les pires. Ils portaient des bermudas et voyageaient en caravane. Certains traversaient le pays en faisant du camping dans les stationnements des magasins à grande surface.

Aujourd'hui, il y avait beaucoup de gens. Ils faisaient la queue. La journée était magnifique, même s'il n'y avait aucune fenêtre dans le restaurant, que des néons. Mais je sentais le soleil, à travers les murs.

Après l'heure du lunch, il y a eu une accalmie. J'en ai profité pour aller débarrasser les tables. Alors que je passais un chiffon sur les plateaux, j'ai entendu un bruit. Un son inhabituel, une sorte de miaulement. Je l'ai ignoré.

Je suis retournée au comptoir. Quelques minutes plus tard, un homme assez âgé s'est approché. Il a pointé une jeune femme, assise à l'une des tables rouges de la salle à manger.

– Je crois qu'elle garde un animal dans son sac.

– Un animal ?

– Un animal. Je l'entends gémir depuis tantôt.

Il attendait que je réagisse. Que je dise quelque chose.

– Un animal, ça n'a pas sa place dans un restaurant. Vous devriez aller lui parler.

– Je vais voir ce que je peux faire.

L'homme est retourné à sa table. J'ai cherché le gérant des yeux. J'ai regardé l'heure sur l'horloge murale, derrière moi. Je me sentais nerveuse, soudainement. Et fatiguée. J'aurais voulu que la journée s'achève.

Il y a eu un autre miaulement, très long. La jeune fille fixait obstinément ses frites. Sa main a touché un grand sac de sport, posé à ses pieds. Les yeux du vieux monsieur s'étaient agrandis. Ils se tournaient alternativement vers la jeune fille et vers moi.

J'ai poussé un soupir. J'ai quitté le comptoir. Je me suis approchée de sa table, réticente. Une fois près d'elle, j'ai hésité avant de parler. Je sentais le regard du vieux dans mon dos.

– Madame...

– Salut.

Elle avait une voix claire, à la fois timide et arrogante.

– Euh... Salut. Un client dit qu'il entend des bruits par ici. Est-ce que... Est-ce que vous auriez un animal avec vous, par hasard ?

– Oui. Vous voulez les voir ?

Je n'ai pas eu le temps de répondre. Elle a posé son sac sur ses genoux et l'a ouvert avec précaution, juste sous mes yeux. Comme si elle partageait un secret.

Le sac contenait quatre chatons. Encore très petits. Une portée. Deux noirs, un gris, et un noir et blanc.

– Tu en veux un ?

– Quoi ?

– Tu peux en prendre un si tu veux.

À ce moment, le gérant a surgi à mes côtés. Je ne l'avais pas entendu arriver. Le vieil homme se tenait derrière, un peu à l'écart.

– Les animaux sont interdits ici, Mademoiselle. Question de salubrité. Je vais devoir vous demander de quitter les lieux.

Tout d'abord, la jeune fille n'a pas semblé réagir. Ensuite, elle a cligné des yeux, une fois. Elle a refermé son sac de sport, avant de se lever, lentement.

Le gérant l'a regardée partir, puis il m'a adressé un petit signe de la tête.

– Tu devrais retourner au comptoir, Sarah. Il y a un client.

Je n'ai pas bougé, pas tout de suite. Je ne savais pas quoi faire. Finalement, je suis sortie du restaurant et je me suis mise à courir, dans les allées du magasin. Je l'ai rattrapée juste avant la sortie.

– Excuse-moi.

Elle s'est arrêtée.

– Je vais en prendre un, finalement.

Elle a rouvert le sac.

– Tu veux lequel ?

– Ça n'a pas d'importance, n'importe lequel.

– Prends le gris.

– D'accord. Merci.

J'ai pris le chaton dans mes bras, et je suis sortie par la grande porte automatisée.

La famine de Camille

J'étais affamée. Le réfrigérateur ne contenait que des aliments périmés. Pour une raison obscure, je m'entêtais à ne pas les jeter. J'ai décidé de me rendre au grand supermarché, celui qui est ouvert toute la nuit. En chemin, j'ai pensé à toutes les recettes que j'aimerais essayer.

L'épicerie était déserte. J'ai pris un chariot à l'entrée. Chaque caddie parcourt en moyenne près de quatre mille kilomètres par an. Je l'ai lu quelque part.

J'ai erré pendant un temps parmi les fromages, les légumes, les produits céréaliers. J'ai passé rapidement l'allée des viandes et des surgelés. Je cherchais quelque chose dont j'aurais eu besoin. J'étais avide de cette chose qui me manquait.

L'endroit était immense. En plus des aliments, on y vendait des accessoires de cuisine et de décoration, des produits cosmétiques, des bijoux, des vêtements. Dans une cabine d'essayage, j'ai enfilé un chandail mauve. Il ne m'allait pas.

Au bout d'une allée, je me suis mise à courir, en poussant le panier devant moi. Puis j'ai sauté à pieds joints sur le bas du chariot. J'ai glissé entre les hautes étagères, les rangées de produits comestibles. Mes mains tenaient fermement la barre.

Une chanson dont je connaissais les paroles était diffusée dans les haut-parleurs invisibles.

J'ai commencé à chanter, faiblement.

Puis ma voix s'est affermie, peu à peu.

Au tournant d'un présentoir, j'ai eu une illumination.

Je confectionnerais un gâteau. La chanson était terminée, mais je chantais toujours. Je suis revenue sur mes pas et j'ai repéré la bonne allée. J'ai choisi une préparation de gâteau. Avec beaucoup de crémage.

La caissière a émis un bâillement en me remettant la monnaie.

Dans ma main gauche, le sac de plastique était un poids agréable. Il me maintenait au sol.

De retour chez moi, j'ai versé la préparation dans un bol. J'ai ajouté deux œufs. Du lait. De l'huile végétale. J'ai brassé. Un peu trop fort, un peu trop longtemps. Puis j'ai versé la préparation dans un moule à gâteau.

À la dernière minute, j'ai pensé à y ajouter une fève. Celui qui la trouvera règnera sur la cuisine. Son front sera ceint d'une couronne de carton.

J'ai attendu, assise devant le four, les mains posées sur mes genoux. En énumérant à voix haute toutes les raisons pour lesquelles il est possible de célébrer.

La sœur de Sarah

Audrey est arrivée en pleurant, et quelque chose s'est serré en moi, comme toujours. Lorsque nous étions petites, ses larmes me rendaient folle de rage. Je voulais tuer. Arracher les pattes d'une araignée ou les ailes d'un papillon. Sacrifier une chose vivante pour que ses larmes se tarissent.

Un jour, la colère m'a aveuglée. Elle a braqué son éclat blanc tout contre mes yeux. Je titubais. J'ai collé ma gomme à mâcher dans tes cheveux. Maman a dû les couper très court. Elle m'a envoyée en punition. Audrey est venue me rejoindre dans notre chambre. Elle a sorti les bonbons de l'Halloween dernier de ta cachette. Il y en avait beaucoup. Nous les avons mangés, un à un.

J'ai passé ma main dans ses cheveux, jusqu'à ce qu'elle s'apaise.

Toutes les histoires partageaient une même fin, ses larmes, ma colère. Elle aurait voulu être un autre personnage. Celui qui s'enfuit à vive allure sur un cheval noir. Celui qui brise les cœurs et bat les pauvres gens.

Nous possédions des dizaines de poupées miniatures, de la taille d'un ongle. Elles habitaient des maisons compactes et rétractables, si petites que l'on pouvait les glisser dans une poche. Ces univers réduits étaient nos terrains de jeux. Nous passions des jours entiers dans des lieux minuscules, presque inexistants.

Le reste du temps, nous nous cachions dans le boisé qui se trouvait près de notre maison. Nos repaires étaient nombreux. Le marécage, qui devenait notre patinoire l'hiver venu. La décharge, un coin dans lequel des gens abandonnaient des objets brisés, des produits toxiques. Il y avait aussi le cimetière des mouettes, une clairière dans laquelle reposaient des dizaines, des centaines d'ossements d'oiseaux.

Après un temps, elle s'est calmée. Elle a souri en remarquant que je portais son cadeau d'anniversaire. Un chandail aux couleurs vives, qui ne me ressemble pas. Elle m'a confié l'avoir volé.

Elle ne savait pas pourquoi. Elle n'avait jamais volé quoi que ce soit auparavant, pas même des friandises au dépanneur. En le voyant, elle avait pourtant été prise d'une envie irrésistible. Il lui fallait absolument s'en emparer, commettre un délit pour lequel elle ne serait pas punie. Et elle avait réussi.

J'ai pensé à Coco, notre chien. Il lui arrivait parfois de briser la chaîne qui l'attachait à sa niche. Il disparaissait alors pendant plusieurs jours. À son retour, il était sale et maigre. Il déposait fièrement à nos pieds un petit animal mort.

Instinctivement, j'ai touché le tissu du chandail du bout des doigts.

Audrey a commencé à rire. Je l'ai imitée. Un rire stupide, galopant. Nous avons ri jusqu'à en avoir mal. C'était un code, une chose qui nous unissait.

Depuis, je porte souvent ce chandail. Je regarde les gens avec insistance, je les défie du regard. Je souhaite qu'ils devinent, qu'ils sachent. Son crime sans importance, notre impunité.

La visite

Nous sommes arrivés chez tes parents en début de soirée. Nous avions roulé toute la journée. Tu as garé la voiture dans l'entrée. Des oiseaux exotiques en plastique étaient plantés sur le parterre, devant la maison. Il y avait aussi une petite fontaine sur pied, en forme de cœur.

Tu les as embrassés, tu m'as présentée. On m'a fait faire le tour de la maison. Des oiseaux aux diverses formes ornaient toutes les pièces. Des oiseaux de porcelaine, des oiseaux de bois, des oiseaux brodés, des oiseaux peints, des oiseaux photographiés. Il n'y avait aucun oiseau véritable. Plumes, chair et ailes. J'ai dit que j'aimerais assister à un envol. Tu m'as jeté un coup d'œil. Tes parents ont fait comme s'ils n'avaient pas entendu.

Au passage, tu notais à voix haute toutes les petites choses qui avaient changé depuis ta dernière visite. Ensuite, nous sommes passés au salon.

Assis sur les canapés, nous avons parlé, longtemps. De la température, des gens qui conduisent trop vite et d'ornithologie. Puis il y a eu un silence.

J'ai demandé si je pouvais regarder tes albums souvenirs.

Ta mère et moi nous sommes installées à la table de la cuisine. Je tournais les pages, une à une. Je regardais les photos protégées par une pellicule. Plusieurs d'entre elles auraient pu être les miennes. À différents âges, nous faisions les mêmes choses, nous prenions les mêmes poses devant les mêmes décors. Même nos vêtements se ressemblaient. Mais tu souriais plus que moi. J'étais certaine que ta mère s'était fait piquer par une abeille au zoo, en essayant de te protéger. Ou que la grosse boîte qu'on t'avait offerte pour Noël contenait une cuisinette et des aliments de plastique.

La pellicule faisait du bruit lorsqu'on la décollait. Une sorte de déchirement. Je me suis imaginée tendue sous une nappe translucide. Comme une deuxième peau.

Toutes les vies étaient peut-être identiques, d'un album à l'autre. La différence était ailleurs, dans tout ce qu'on ne prend pas en photo. J'ai dit que tu avais été un très bel enfant.

Nous avons mangé un morceau de tarte que ta mère a fait réchauffer dans le four à micro-ondes.

Nous avons regardé la moitié d'un film qu'on présentait à la télévision. À propos d'un chien qui devenait champion de soccer. Au journal télévisé de fin de soirée, on a rapporté que des employés de l'aéroport JFK auraient permis à un enfant de jouer au contrôleur aérien. On a ensuite diffusé un enregistrement où une voix claire donnait des directives aux pilotes d'avion. *Jet blue 171, ready to takeoff. Air Mex 403, contact departure. Adios.*

Tes parents nous ont souhaité une bonne nuit.

Nous sommes descendus au sous-sol. Les murs étaient plâtrés et peints. Le plafond était suspendu et le plancher, flottant.

Il y avait une petite bibliothèque, deux fauteuils, une table basse. Il y avait aussi des appareils d'exercice.

Dans la salle de bain, il n'y avait pas de savon ordinaire. Je me suis lavée avec un gel de douche pour hommes. En me séchant avec la serviette destinée aux invités, j'ai retenu mon souffle. Je ne voulais pas sentir l'odeur de musc sur ma peau.

Nous avons descendu le lit encastré dans le mur. Tu t'y es aussitôt étendu. Je t'ai demandé si on pouvait ouvrir une fenêtre, pour aérer la pièce. Tu n'as pas répondu. J'ai abaissé l'interrupteur.

Dans le noir, je regardais les chiffres lumineux du réveil.

J'ai pensé sortir, aller marcher. Mais il faisait froid. Et je ne connaissais pas ta ville natale.

Je me suis levée et je me suis installée sur le vélo stationnaire. J'ai commencé à pédaler. Sans allumer. Lentement, au début. Puis j'ai augmenté le rythme. Je pédalais vite. Je pédalais. De plus en plus vite. Dans le noir, je ne pouvais pas distinguer mon corps en mouvement. Je n'entendais que mon souffle, profond et rauque.

Léanne dans la lumière

J'ai traversé l'appartement, jusqu'à la cuisine. Je me suis immobilisée. J'ai regardé autour. Je suis retournée à la porte d'entrée. J'ai retiré les clés de la serrure.

Je me suis assise sur le divan. Avec mon manteau et mes bottes d'hiver. La télécommande était chaude dans ma main droite. J'ai allumé la télévision. J'ai changé de poste. Encore et encore. La neige fondait lentement sur le plancher.

Jusqu'à ce que les images se fondent l'une dans l'autre. Jusqu'à ce que les tremblements s'apaisent.

Il y a eu un claquement. Une sorte de déchirement. J'ai appuyé sur le bouton sourdine.

C'était le tonnerre. Au mois de février.

Je me suis demandé si c'était normal. La neige est un isolant, pas un conducteur. La neige, ce n'est pas la pluie. J'ai composé le numéro de la chaîne météo. Je le connais par cœur. Un message préenregistré m'a annoncé qu'il neigeait. Je le savais déjà.

C'était peut-être la fin du monde. Du blanc, un mélange de glace, d'eau et d'électricité. Je me suis demandé si c'était bien cela. J'aurais voulu prier, mais aucune parole ne m'est venue. Il n'y avait que des sons décousus, des gazouillements.

Je ne savais pas quand ça avait commencé, exactement. Les gestes les plus banals me résistaient. Je n'arrivais plus à ouvrir les bouchons à l'épreuve des enfants. Mais j'essayais de ne pas m'en faire. Dans un magazine, j'avais lu un article sur l'ambiguïté du sourire. Le rictus suscité par une joie ou par une douleur sollicite les mêmes mouvements faciaux. On se réjouit ou on souffre, alors qu'on devrait faire autre chose. Une chose qui reste à être inventée.

Je me suis finalement calmée, et je me suis levée pour aller suspendre mon manteau. J'ai remarqué le colis que j'avais reçu par la poste il y a quelques jours. Il traînait depuis ce temps dans le placard. J'ai décidé de l'ouvrir.

C'était une lampe. Il devait s'agir d'une erreur. Je contacterais la compagnie le lendemain. Mais quelques minutes plus tard, ma mère a téléphoné pour me demander si j'avais reçu son cadeau. Elle croyait que je souffrais d'une déprime saisonnière. Que je manquais de vitamine C, ou un truc du genre. Elle avait vu la lampe à la télé. Je lui ai dit que c'était n'importe quoi, et qu'elle ne devrait pas perdre son temps à regarder les téléannonces.

Mais un soir, alors qu'il n'y avait rien d'intéressant à la télévision, j'ai allumé la lampe. Je me suis assise en dessous, en dirigeant son faisceau vers mon visage. J'ai attendu. Les rayons étaient chauds, aveuglants. J'ai pensé à mettre mes lunettes fumées, et j'ai commencé à pleurer, bruyamment, abondamment. La chaleur asséchait presque aussitôt les larmes qui se déversaient sur mon visage.

Je m'installais sous la lampe plusieurs fois par jour. Le matin, en consultant la chaîne météo, le soir, avant d'aller me brosser les dents.

Un soir, j'ai tenté de résister. Je suis allée directement chez Audrey, en rentrant du travail. Elle m'a souri en m'ouvrant la porte, comme si elle m'attendait. Je me suis assise sur son divan. Des plaquettes de cire de différentes couleurs et des bouts de ficelle encombraient la table basse, devant moi.

– Qu'est-ce que c'est ?

– Du matériel. Je fabrique mes propres bougies.

– Ah. Depuis quand tu utilises des bougies ?

– Depuis que je les fabrique… Tu es certaine que ça va ?

– … Tu ne me l'as pas demandé.

– Qu'est-ce que je ne t'ai pas demandé ?

– Si ça allait.

– Bon. Est-ce que ça va ?

– Oui.

– Tant mieux.

Il y a eu un silence.

– Je te ferai une chandelle, si tu veux.

– D'accord.

– C'est quoi ta couleur préférée ?

– Je ne sais pas. Bleu ?

– Hum. Je pense qu'il ne me reste plus de cire bleue. Jaune, ça te va ?

– Oui, je suppose.

– Bon. Je reviens dans une minute. Sers-toi si tu veux quelque chose à boire.

Au bout d'un moment, j'ai entendu le claquement d'un coupe-ongles. J'ai parlé plus fort pour qu'elle puisse m'entendre.

– Est-ce que tu te coupes les ongles ?

Elle m'a répondu à travers le mur de la salle de bain.

– … Non, je cherche quelque chose. Ça ne sera pas long.

J'entendais toujours le bruit, net, sec. Je me demandais si je devais partir. J'ai décidé de rester encore un peu, d'attendre qu'Audrey revienne pour lui dire au revoir. Il m'a fallu un moment avant de remarquer la quantité étonnante de bougies de différentes formes et tailles entassées dans le salon. Sur les étagères fixées au mur, sur la chaîne stéréo son, le bureau de travail, et même à mes pieds, près du divan.

J'en ai choisie une au hasard, puis j'ai fouillé dans mon sac, à la recherche d'un briquet.

Après en avoir allumé la mèche, j'ai levé la bougie à la hauteur de mon visage. La flamme tremblotait, et je me sentais un peu mieux.

Christophe fait la fête

J'ai sonné. Puis j'ai sonné une deuxième fois. Personne n'est venu répondre. J'ai ouvert la porte.

J'ai été assailli par la musique.

J'ai déposé mon manteau sur une pile qui s'était formée, sur un lit. J'ai pensé au Nouvel An chez mes grands-parents. Je n'arrivais jamais à rester éveillé pour le décompte. Je finissais toujours par m'endormir, le corps enfoui dans la pile de manteaux.

Je suis entré dans la cuisine. Des bouteilles de bière entamées traînaient sur le comptoir. Une ampoule jaune pendait du plafond. Il y avait beaucoup de gens, mais je n'en connaissais aucun. La fête se tenait chez un collègue de mon ami Alexis, qui apparemment n'était pas encore arrivé.

Je me rappelais l'année où mes cousins avaient décidé que je n'étais pas assez vieux pour jouer avec eux. Ils voulaient m'exclure de la traditionnelle pièce de théâtre des fêtes. J'ai pleuré. Je suis allé me plaindre auprès des adultes. Les cousins avaient été obligés de me donner un rôle. Ma grand-mère, intriguée par mon immobilité et mon silence, avait interrompu la représentation. Elle voulait connaître l'identité de mon personnage. Je n'avais pas répondu. Cette intervention avait exaspéré l'aîné des petits-enfants. «Il peut pas parler, c'est une statue!»

Sous la table, il y avait un chat, apeuré. Je me suis penché pour le caresser. Il a craché et s'est enfui.

Dans le salon, je me suis assis près d'un étudiant en droit. Il semblait s'ennuyer. Il a entamé la conversation. Il s'est présenté. Je me suis présenté à mon tour, en spécifiant qu'il ne s'agissait pas de mon tout premier prénom. Ma mère avait changé d'idée, un mois après ma naissance. L'étudiant a acquiescé, comme si c'était entendu. Puis il a parlé de dépression et de rêves accessibles. Il m'a avoué consommer de la cocaïne sur une base régulière. J'ai dit: «Oui, d'accord.»

Je me suis levé. Je me suis approché de la porte-fenêtre. J'y ai posé mon front. Mon père disait que l'important, c'était d'essayer.

À six ans, j'avais reçu un panier d'épicerie, une caisse enregistreuse et des aliments en plastique de la part du père Noël. Ma sœur avait eu le château en blocs Lego que j'avais demandé dans ma lettre. Mes parents nous ont dit qu'il s'agissait probablement d'une erreur des lutins. Ils s'étaient trompés en étiquetant les cadeaux. Nous pouvions les échanger. Mais ma sœur ne voulait pas. Elle préférait garder les blocs. J'avais passé la soirée dans un coin de la pièce, seul, à préparer des mets imaginaires.

J'ai regagné la place que j'avais laissée, sur le divan. L'étudiant avait disparu. Une encyclopédie traînait par terre. Je l'ai ouverte, au hasard. Un nouveau-né possède environ trois cents os. À l'âge adulte, son squelette n'en comptera plus que deux cent six. J'ai bu une autre bière en me demandant où étaient passés les os manquants.

Lorsque je me suis réveillé, j'étais toujours sur le divan. À mes côtés, deux personnes s'embrassaient. On avait augmenté le volume de la musique.

J'étais un peu étourdi. Je suis entré dans la chambre pour récupérer mon manteau. J'ai fouillé dans la pile qui était sur le lit. Je ne le trouvais pas. J'ai saisi tous les manteaux, un à un, pour les élever vers la lumière du plafonnier, et ensuite les reposer à côté de la pile. Jusqu'à en former une nouvelle.

Je suis resté dans la pièce un moment. Puis j'ai éteint le plafonnier. Je suis sorti.

Dans la nuit, j'ai marché. Il faisait froid. J'étais peut-être le dernier être humain et je ne portais pas de manteau.

Léanne dans le labyrinthe

J'avais commencé à oublier des choses importantes. La combinaison du seul cadenas que je possède. Des dates d'anniversaire. Mon numéro d'assurance sociale. J'ai décidé de tout noter dans un vieil agenda. Au début, je prenais l'exercice très au sérieux. Je soignais ma calligraphie, comme à la petite école. Je formais des phrases complètes, réfléchies.

Ça n'a pas duré. Je me suis vite contentée d'une série de mots-clés, gribouillés à la hâte.

On avait érigé un labyrinthe de glace dans le parc qui se trouve près de chez moi. Pour la Fête des Flocons, un carnaval d'hiver organisé par la municipalité. Rassemblées autour d'un feu de joie, des familles faisaient griller des guimauves et des saucisses vendues dans des emballages de plastique. Les enfants glissaient ou patinaient en poussant des cris aigus, inquiétants. Je les observais depuis la porte-fenêtre de mon salon. Vers la fin de l'après-midi, tu m'as téléphoné. Tu n'avais rien de précis à raconter. Alors tu as détaillé tout ce que tu avais mangé la veille. Ensuite, tu as énuméré tes peurs du moment.

J'ai inscrit «Carnaval. Guimauves. Peur. Famille. Labyrinthe» sous la colonne du 15 juin.

Après avoir raccroché, j'ai décidé d'ouvrir le courrier des dernières semaines. Des enveloppes qui ne m'étaient pas adressées mais qui s'étaient retrouvées par erreur dans ma boîte postale. Destinées à des voisins ou aux anciens occupants de mon appartement. Je ne les renvoyais jamais. Je les accumulais dans un tiroir. Quand je m'ennuyais ou que je me sentais seule, j'en ouvrais quelques-unes. La plupart ne contenaient que des dépliants promotionnels, un rappel du vétérinaire pour le vaccin du chien. Quelques relevés bancaires, des factures. Des documents inoffensifs, qui ne compromettaient pas, ou si peu, leur destinataire. Il y avait parfois une carte ou une lettre. Je les repérais tout de suite, à cause de l'écriture manuscrite. Je les gardais pour la fin. Je les lisais et les relisais des dizaines de fois, avide de ces nouvelles d'un parent lointain, des vœux sincères d'une grand-mère. J'avais apposé sur mon réfrigérateur la photo d'une jeune femme blonde, très jolie, et de son fiancé, plutôt quelconque. Le mariage aura lieu dans un club de golf, au mois d'août prochain.

Le surlendemain, des employés de la ville ont retiré la banderole sur laquelle était imprimé le nom de la fête hivernale. Le labyrinthe est resté là.

Dès que le soir commençait à tomber, vers seize heures trente, j'enfilais mes bonnes bottes, celles qui sont un peu laides, et mon manteau le plus chaud. Je gagnais le parc au pas de course, comme si quelqu'un allait crier mon nom, m'intimer l'ordre de rentrer souper.

Je m'éveillais la nuit, tirée du sommeil par le bruit infernal des chasse-neige. Ces immenses machines qui ramassent tout sur leur passage. La neige, la glace, les cailloux. Elles happent parfois des piétons aux intersections. Pendant une seconde ou deux, mon pouls s'accélérait, et je croyais être en train de mourir. Pour me calmer, je m'imaginais étendue sur une tonne de neige, dans la benne d'un camion fonçant dans les rues de la ville, en route vers un site de dépôt. Ensuite, j'ouvrais l'agenda et j'en étudiais frénétiquement les entrées. Sœur. Promotion. 19 h. Rendez-vous. Ne pas. Apesanteur. 438-565-9043.

Quand ce n'était pas les chasse-neige, c'était le bruit des bottes montant lourdement l'escalier de secours qui me réveillait. Je pensais alors au

Bonhomme Sept Heures. Le *bone setter,* celui qui vient pour replacer les os de votre corps. Vous arracher des cris de douleur.

Je m'engageais dans les couloirs bleutés. Je gagnais rapidement le centre du labyrinthe, où se trouvait la sculpture ratée d'un ours polaire. C'était peut-être un tigre. Ou un très gros chien. Je me répétais certains mots écrits le matin même. Temps froid. Tuyauterie. Gelée. Rien.

438-565-9043 ?

Rendue à ce point, je fermais les yeux. Et je déambulais, en me guidant avec mes mains. J'espérais secrètement me perdre, foncer droit dans un cul-de-sac, ne jamais retrouver la sortie.

Désœuvrement. Tristesse. 1-32-6. Lait dépanneur.

Un soir, quand je suis rentrée, Éric, mon voisin, était assis dans le salon. Il faisait sombre, l'obscurité avait gagné presque toute la pièce. Pendant un instant, je me suis demandé comment il était entré, puis je me suis rappelé qu'il possédait un double de ma clé. Il était venu arroser mes plantes pendant mon voyage au Mexique, l'été dernier.

Pays exotique. Aboiements. Chasse-neige. 2 c. à thé.

Je lui ai demandé pourquoi il n'allumait pas. Il a haussé les épaules. J'ai soulevé l'interrupteur, et il a cligné des yeux. Il ne m'a pas regardée. Je me suis demandé si j'existais vraiment. Si je n'étais pas devenue transparente.

Éric s'est levé pour s'approcher du calendrier de l'avent que j'avais accroché au mur du salon. Un calendrier de carton, qui permet de faire le décompte des jours qui précèdent Noël. Il a ouvert la petite fenêtre qui correspondait à la date du jour.

– Il n'y a pas de chocolat.

Je ne savais pas s'il s'adressait à moi. S'il pouvait m'entendre.

– J'ai dit: il n'y a pas de chocolat.

– C'est possible.

– Tu l'as déjà mangé?

Chocolat. Nausée. Obscurité.

– Quand j'ai une fringale, j'ouvre une fenêtre au hasard. Je mange parfois plusieurs dates dans la même journée.

– Ce n'est pas logique.

– Peut-être bien.

– Ça ne sert à rien d'avoir un calendrier de l'avent si on ne respecte pas l'ordre chronologique. Pourquoi tu n'achètes pas seulement une boîte de chocolats? C'est…

Son visage est devenu encore plus livide, comme s'il avait très mal. Peut-être que c'était lui qui me hantait.

– Noël est passé.

– J'ai acheté le calendrier en solde après les fêtes. À la pharmacie.

Il y a eu un moment de silence. Éric s'est rassis. J'ai ouvert l'agenda, qui traînait sur la table basse du salon. Je voulais me rappeler une chose que j'y aurais consignée. Un fait qui raconterait quelque chose d'important sur moi, sur mon existence. Les mots me semblaient incompréhensibles, tels des hiéroglyphes retrouvés sur une tombe vieille de plusieurs milliers d'années. Je n'arrivais pas à déchiffrer ma propre écriture. Éric m'a demandé d'éteindre.

C'est ce que j'ai fait. J'ai remis mes bottes et mon manteau, et je l'ai laissé, seul, assis dans l'obscurité. Je suis retournée au labyrinthe. Cette fois, j'ai fermé les yeux dès l'entrée. J'ai tourné plusieurs fois sur moi-même avant de m'enfoncer dans le couloir de droite. J'avais perdu mes repères. Tout tournait. Absolument tout. J'avais un peu mal au cœur. J'ai souri avant de trébucher, de me frapper la tête contre un pan de glace et de m'affaler par terre.

J'ai attendu un temps avant d'essayer de me relever. Je n'ai pas réussi. Un poids me retenait au sol, une douleur nouvelle, inconnue. Je sentais un peu de sang ou de morve couler sur mon visage, mais ce n'était pas ça. Je suis restée étendue par terre, les yeux fermés.

Je n'avais qu'à attendre la fin de l'hiver. Les murs du labyrinthe finiraient par fondre, comme les glaciers, et alors il y aurait autre chose. L'horizon, l'herbe détrempée.

Les tremblements

Tu m'as dit que j'étais sur le point de m'endormir. Tu le savais parce que mon corps était secoué par de légers spasmes. Alors tu me l'as dit. « Tu vas dormir. » Pour que je ne m'endorme pas. Pour que je reste près de toi, les yeux grands ouverts.

Je t'ai raconté que j'avais trouvé un coquillage en marchant sur le trottoir. Entre deux feux rouges, au milieu des édifices vitrés et des piétons qui se déplaçaient rapidement, il y avait un coquillage. Rose et blanc. Lisse. Je me suis penché pour le ramasser. Je l'ai tenu dans ma main.

Il arrive que les choses et les êtres ne soient pas au bon endroit. On n'y peut rien.

Tu m'as demandé de te raconter une autre histoire.

Quelques pingouins sont en route vers l'océan. Pour se nourrir. L'un d'entre eux s'arrête, subitement. Il hésite. Il semble égaré. Il prend la direction des montagnes, situées à des centaines de kilomètres du littoral. Même si on le ramenait à sa colonie, le pingouin reprendrait aussitôt la direction des montagnes.

Tu m'as dit que ces choses n'arrivent pas seulement aux animaux. Tu as peur des hauteurs. Tomber, de très haut. Pendant tout un été, tu avais suivi ta sœur dans les manèges.

Dans les instants qui précèdent le sommeil, je me sens parfois chuter. À travers le matelas, le sommier, les lattes de bois du plancher. À travers moi. Le corps se contracte dans la chute. Il tente de se rattraper, de se maintenir intact. Secoué par de tout petits tremblements involontaires.

Tu en voulais une autre.

Sur une plage, un kangourou s'approche de l'eau. Il entre dans la mer. Il nage, il s'éloigne. On aperçoit une tête, des oreilles, au loin. On l'imagine plonger, aller vivre avec les créatures marines.

Et une autre.

Dans une fourgonnette circulant sur une autoroute de la baie de San Francisco, un enfant s'amuse à compter les voitures rouges. Peu après le compte de 39, il pousse un cri. Un lion de mer rampe sur le terre-plein central.

« Encore une. » J'ai dit que ce serait la dernière.

Cinquante-cinq baleines s'échouent sur une plage en Afrique. On ignore pourquoi. Les secouristes s'activent sur le sable, entre les mammifères marins et les parasols colorés. La plupart des baleines ne peuvent pas être sauvées. Une fois remises à l'eau, elles font demi-tour et reviennent sur la plage.

«Tu vas dormir.» Je t'ai répondu que je le savais. J'aimais cet avertissement. Savoir que j'allais m'endormir, que le monde allait disparaître pour un temps. Le lendemain, je pourrais me rappeler le moment exact. Le moment où je me serais enfoncé, où j'aurais perdu pied.

Tu ne connaissais pas d'histoires d'animaux. Sauf une. Un été, ton père a décidé de se débarrasser des chauves-souris qui avaient élu domicile dans votre hangar. Il les a capturées en plein jour, dans leur sommeil, à l'aide d'un aspirateur très puissant, conçu pour les travaux de jardinage. Il retirait ensuite leurs corps brisés du filtre et les enterrait dans ses plates-bandes.

Tu l'as dit à nouveau: «Tu vas dormir.» Mais je ne t'ai pas entendu. Je dormais déjà. Ou je tombais. Je ne sais plus.

La mer

Pendant que Sarah embrassait un inconnu, je pensais à la mer. L'alcool, la mer. Ce qui nous submerge. Prend, berce, fracasse. Je la regardais. Je l'entendais.

J'étais la mer.

Un des amis de l'inconnu a commencé à crier dans mon oreille gauche.

– C'est quoi ton nom ?

J'ai tenté de l'ignorer. Mais il a insisté.

– Hé ! C'est quoi ton nom ?

– Camille.

– Quoi ? Karine ? C'est un beau nom.

J'ai agrippé mon amie par le bras et l'ai entraînée vers la sortie. Dans la voiture, Sarah a chuchoté d'une voix d'outre-tombe. Une voix d'outre-bar. Rauque, presque inhumaine. Quelque chose à propos des tortues géantes qui doivent nager dans le sable avant de pondre leurs œufs. À propos de sa tristesse.

Je tanguais, tranquillement. Nous aurions pu emboutir le mur d'un tunnel. Au sortir d'une courbe. Nous encastrer dans le béton, mourir sous le fleuve, là où se perdent les signaux radio.

J'ai déposé Sarah chez elle. Elle a ouvert la portière. L'a refermée. Elle a marché vers sa maison. Au milieu de la cour asphaltée, elle s'est arrêtée. Elle s'est assise par terre. J'ai redémarré.

L'eau a coulé dans le bain.

À la télévision, j'avais regardé un reportage sur un observatoire astronomique. On parlait d'un appareil permettant d'entendre le son de l'espace. Le son du ressac.

La lumière du soleil s'éteint à quatre mille mètres de profondeur.

Je me suis étendue sur le dos. J'écoutais le bruit de l'eau dans mes oreilles. Certaines espèces abyssales produisent leur propre lumière. J'étais tout comme elles. Je m'éclairais de l'intérieur.

J'aurais voulu rester là, pour toujours. Mais je ne pouvais pas. Pas vraiment. Alors je suis sortie du bain. Et j'ai pensé à la vie que j'aurais dans l'espace. Ou dans la mer. Je dériverais et j'écouterais, la tête immergée.

Je m'illuminerais.

Au zoo

Nous roulions en silence, à faible allure. Il faisait beau ce jour-là, malgré la température un peu fraîche. Tu regardais fixement devant toi. De temps à autre, je passais une main dans mes cheveux. Tu as ralenti, puis tu as complètement immobilisé la voiture. Une énorme bête sauvage est apparue devant le pare-brise. Après un moment d'hésitation, elle s'est dirigée de mon côté et a glissé sa tête poilue par la fenêtre ouverte, à quelques centimètres de mon visage. Machinalement, j'ai pris la petite boîte de carton déposée entre nos deux sièges. J'ai versé un peu de moulée dans ma main et je l'ai présentée à la bête, qui s'est empressée de l'ingurgiter d'un coup de langue rugueuse et très humide. Ma main était couverte de salive. Je l'ai essuyée sur mon jean. L'animal, avant de s'éloigner du véhicule, a attendu un instant, espérant en recevoir davantage. C'était un mercredi. Il n'y avait pas beaucoup de véhicules au Parc Safari.

La voiture avançait à nouveau, lentement. Tu étais venu me chercher au travail, en prétextant une urgence. J'étais persuadée qu'il y avait un mort ou un blessé. Tu avais attendu un peu trop longtemps avant de m'annoncer que tu voulais me faire une surprise. Nous avions pris la route d'Hemmingford, et l'angoisse qui m'habitait faisait progressivement place à la colère.

Tu avais conservé un bon souvenir de cet endroit. Tu en parlais souvent. Toi et tes parents, vous aviez eu tellement de plaisir. Une girafe s'était emparée de la casquette de ton père, à travers le toit ouvrant de votre voiture. C'était une belle journée. Tu avais souvent évoqué l'idée d'y retourner, un jour, ensemble.

Depuis six mois, nous nous disputions tous les jours. Pour des raisons à la fois futiles et essentielles. Comme toutes les raisons, peut-être. Les serviettes humides que je laissais traîner par terre. La serrure que tu oubliais de verrouiller. Ma condescendance. Cette voix suraiguë que tu prenais parfois. Ces attitudes, ces gestes que nous faisions ou ne faisions pas semblaient raconter des choses à notre sujet. Nous en prenions scrupuleusement note, chacun de notre côté. Tout était comptabilisé. Nous nous livrions une bataille féroce, dont nous ignorions l'enjeu. L'important résidait dans la victoire. Mais peut-être que non.

Le soir, quand je terminais de travailler, tu m'attendais parfois. Tu guettais mon arrivée par la fenêtre du salon, qui donne sur la rue. Chaque fois que je te surprenais ainsi, je me sentais envahie par une joie obscure. Un mélange de reconnaissance et de culpabilité. Je ne t'envoyais jamais la main, ne te faisais jamais signe. Je rentrais à la maison, puis nous commandions du poulet. Je t'aimais.

Tu as dit : « Regarde, une autruche. » Je déteste les autruches. Je t'ai dit de ne pas arrêter. Longtemps auparavant, j'avais lu une histoire horrible à leur sujet dans un *Reader's Digest*. Une femme qui était allée courir dans le désert en Californie s'était fait attaquer par une de ces bêtes. Elle en était presque morte. Je ne leur faisais pas confiance.

À quelques mètres devant nous, le passage était bloqué par un très grand chameau. Il était couché au milieu de la route bétonnée et ne semblait pas vouloir bouger. Tu as éteint le moteur.

Tu t'es tourné vers moi.

– Qu'est-ce qu'on fait ?

– Ici ?

Tu t'es retourné vers le chameau immobilisé. Tu as klaxonné. Il n'a pas bougé. Tu as klaxonné à nouveau. Soudainement, j'ai eu envie de te blesser. Je n'ai pas pu m'en empêcher.

– Je déteste les zoos.

Tu as pris la boîte de moulée et tu as ouvert la portière, violemment. Tu es sorti de la voiture. C'était défendu. Tout au long du trajet, des panneaux le rappelaient aux visiteurs.

Tu t'es approché du chameau à pas rapides, l'air déterminé. Mais une fois près de lui, tu as semblé ne plus savoir quoi faire. Tu as hésité un instant avant de lancer la boîte de moulée contre la tête de l'animal. Il est resté parfaitement immobile. Tu es parti en courant, vers la plaine jaune qui se déployait de chaque côté de l'allée. Tu es parti en courant vers les zèbres, au loin.

Sarah a un accident

Il était presque minuit quand Camille est venue frapper à ma porte, très longtemps. Elle voulait m'emmener. Comme une glacière en pique-nique. Faire quelque chose et ne pas être seule. J'ai glissé mon appareil-photo et une bouteille d'eau dans mon sac, et je l'ai suivie. Elle a dit qu'elle n'avait plus de shampoing. Je ne savais pas quoi répondre. Camille connaissait une pharmacie ouverte vingt-quatre heures sur vingt-quatre, de l'autre côté de la ville. Nous sommes montées dans sa voiture.

La pharmacie était trop grande, trop éclairée. Nous avons déambulé dans les allées blanches. Comparé les fragrances des crèmes antirides. Déchiffré les messages inscrits dans les cartes de souhaits. Essayé différentes teintes d'ombres à paupières. Nous nous sommes interrogées sur les effets d'un cache-cerne et d'un dentifrice pour dents sensibles. Ses yeux bougeaient frénétiquement dans les allées blanches de la pharmacie, entre le matin et la nuit.

Elle conduisait une fourgonnette verte. Je pensais que ce n'était pas un véhicule approprié. Elle n'avait pas d'enfants à transporter. Nous avons roulé vers les sommets de la ville. Sur la montagne, où sont érigées des maisons aux proportions démesurées.

J'ai ouvert le sac de plastique pour en extraire la bouteille de shampoing. Je l'ai examinée. Ce n'était pas du shampoing. Camille avait acheté du revitalisant. Je le lui ai dit.

Elle s'est contentée d'émettre un son, inarticulé.

Nous avons roulé un temps en silence, sur le flanc de la montagne, dans des rues qui semblaient appartenir à un autre monde. Camille m'a raconté qu'aujourd'hui, il y avait du pollen dans le métro. Des centaines de grappes de pollen. Elle les avait aperçues en descendant l'escalier roulant. Elles flottaient sous terre. Elle a ajouté que des arbres pousseraient, bientôt. Ils émergeraient de la tuile, des rails d'acier.

Le plan des stations est affiché dans chaque wagon. Avec son doigt, un enfant suivait les trajets colorés. Camille voulait quitter la ville.

Il n'y avait rien à voir le long de l'autoroute 20. Que des pans d'obscurité, et au travers, des champs, des maisons préfabriquées, des industries, un centre de crémation.

Mon corps s'est relâché. Comme après un grand effort physique.

Lorsque nous sommes passées devant les dinosaures, je me suis redressée. J'ai demandé à Camille d'arrêter. Je voulais les voir. Les toucher.

Ils étaient dispersés dans le stationnement du Madrid, un restaurant surmonté d'une immense enseigne lumineuse. On y annonçait un buffet chinois. Nous avons marché d'un dinosaure à l'autre, entre les *monster trucks*. L'un d'eux avait le cou cassé. Je l'ai pris en photo.

Nous avons repris la route, mais après quelques minutes, Camille a repéré un nom familier sur un panneau. Une petite municipalité dont le nom exotique évoque les tropiques et ses maladies mortelles. Elle y avait passé un été, avec ses parents, il y a longtemps. Elle voulait revoir le chalet. Elle m'a décrit les armoires de mélamine qui imitaient l'aspect du bois. Un tapis rouge couvrait le plancher, même dans la salle de bain. Les garde-robes dégageaient une odeur d'humidité et de boules à mites.

Elle a conduit au hasard, en espérant retrouver la route qui menait au lac. Le seul dépanneur du village était fermé. Nous nous apprêtions à rebrousser chemin lorsque son visage s'est éclairé, subitement. Elle reconnaissait les lieux. Nous étions dans la bonne direction, elle en était certaine. J'allais ouvrir la radio quand j'ai aperçu un chevreuil sur le bas-côté de la route. Figé, immobile. J'ai crié. Camille a donné un grand coup de volant. Et un autre.

Juste avant l'accident, Camille a prononcé mon nom. Elle a pensé à moi. Elle voulait sûrement me dire que tout irait bien. Elle voulait que je le sache. Que tout irait bien.

La voiture était renversée sur le côté droit, dans le fossé. Camille avait les mains crispées sur le volant. J'étais immobile. Des éclats de verre étincelaient dans l'obscurité. J'ai bougé mon corps, en commençant par les extrémités. Je lui ai demandé si elle pouvait ouvrir la porte.

J'ai dû grimper par-dessus elle pour m'extraire de la fourgonnette. Je me suis avancée au milieu de la route, et j'ai commencé à marcher. Je pouvais marcher. Mais j'avais perdu mes lunettes. Les yeux levés au ciel, j'essayais de voir les étoiles.

J'attendais de me faire frapper par une voiture.

Après un moment, je suis revenue en courant. Camille était encore assise sur son siège, maintenue à l'horizontale par la ceinture de sécurité. Je lui ai crié de sortir du véhicule. J'ai crié longtemps, jusqu'à ce qu'elle sorte.

Ensuite, j'ai récupéré mon sac à main. Elle s'est étendue sur le bas-côté.

L'ambulance nous a emportées. Sans sirène. Je racontais des blagues idiotes pendant qu'on tâtait nos estomacs, à la recherche d'une douleur, d'une hémorragie.

La salle d'attente était presque déserte. Un homme dormait, étendu sur quatre chaises mises bout à bout. J'attendais ma sœur, qui se trouvait dans une salle d'examen. Le médecin a dit que nous avions été chanceuses. Une côte fêlée, et quelques fragments de verre fichés dans la peau. Sans savoir pourquoi, j'ai commencé à rire. Un rire incontrôlable, dont personne n'était témoin. L'homme a remué un peu dans son sommeil.

Il faisait clair quand nous sommes retournées sur les lieux de l'accident avec une remorqueuse. Avant que la voiture ne soit extraite du fossé, avant qu'on l'emporte, j'ai sorti l'appareil de mon sac et j'ai insisté pour que l'homme prenne une photo. De moi et de Camille, côte à côte, avec son attelle et mon pansement. J'ai regardé le résultat sur le petit écran LCD. J'ai trouvé que ça n'avait pas l'air vrai. Qu'il manquait quelque chose. J'ai dit à Camille de faire un effort, de montrer à quel point elle était triste. Et j'ai demandé à l'inconnu de recommencer.

La chambre funéraire

Le jour de congé tirait à sa fin. Nous avons lavé la vaisselle qui traînait sur le comptoir, puis nous nous sommes assis dans le salon.

Mes yeux se sont posés sur tes pieds. Tu portais des bas dépareillés. Un noir et un bleu.

– Je perds toujours mes bas.

– Moi aussi.

– Je ne sais pas où ils disparaissent.

– Dans un monde parallèle. Une autre dimension.

– Peut-être.

– Je vais en acheter de nouveaux.

– D'accord.

– Maintenant.

– Maintenant ?

– Tu veux venir avec moi ?

Nous avons pris un panier à roulettes à l'entrée du grand magasin. Nous nous sommes frayé un chemin dans les allées. C'était difficile. Elles étaient encombrées par d'autres paniers à roulettes. Des familles les emplissaient d'objets. Le nôtre était vide.

Dans le département des vêtements pour femmes, je t'ai aidé à choisir des bas. Tu voulais des couleurs neutres.

Notre panier ne cessait de se heurter aux autres. Il nous encombrait. Alors nous l'avons abandonné. Tu as pris le paquet dans tes mains. Et nous nous sommes placés en file à la caisse.

Au restaurant, j'ai dessiné un chien sur la nappe de papier. Tu as dit qu'il ressemblait à un lapin. Tu as pris mon crayon et tu lui as rajouté de longues oreilles. Ensuite j'ai dessiné une pieuvre qui souriait à pleines dents, sous mon assiette de Général Tao.

– Dans l'Égypte ancienne, les animaux domestiques étaient souvent momifiés.

– …

– Pour accompagner leurs maîtres.

– Tu veux dire, les momies ?

– Oui. Les défunts emportaient tous leurs biens dans leur tombe. Des meubles, des vêtements, de la vaisselle, de la nourriture.

– Tu prends un dessert ?

– Non.

De retour à la maison, nous nous sommes étendus sur le lit. En silence, les yeux au plafond, les bras croisés sur la poitrine. J'ai sorti une *Ring Pop* de ma poche. Je te l'ai offerte.

J'ai glissé la bague de plastique à ton annulaire. Une sucette en forme de diamant y trônait. Tu as tendu ton bras pour admirer l'effet. Le bonbon était rouge, à saveur de cerise.

Nos visages étaient plongés dans la pénombre.

– Tu crois que je pourrais emporter des bonbons dans l'au-delà ?

– Sûrement. Mais avant d'y accéder, tu devras subir la pesée du cœur.

– Ah.

– Ton cœur sera déposé sur un plateau. Sur l'autre plateau il y aura une plume. Si ton cœur et la plume s'équilibrent, tu auras accès à la vie éternelle.

– Et s'il est trop lourd ?

– Il sera dévoré par un monstre affreux.

– Tu crois que ton cœur est aussi léger qu'une plume ?

– Sûrement pas.

J'ai pensé à une valise ouverte. À ce qu'on doit déposer à l'intérieur. Tu as poursuivi :

– J'aimerais que cette journée continue à exister, quelque part, à m'attendre. Comme une chambre funéraire.

Je n'ai rien dit.

– Je voudrais l'emporter, avec tout ce qu'elle renferme. Toi, les nouvelles paires de bas, les mets chinois. On resterait comme ça.

J'ai pensé à nos corps enserrés dans de petites bandelettes blanches. Dans une grande étreinte. Conservés ainsi pendant des milliers d'années. Ils seraient découverts un jour. Ils seraient radiographiés.

La bague rouge étincelait à ton doigt.

Camille écrit de la poésie

J'avais reçu un ensemble de poésie magnétique dans un échange de cadeaux. Je ne me rappelle plus qui me l'avait offert. Des centaines de petits mots aimantés – pronoms, noms, déterminants, verbes, adjectifs – à placer sur le réfrigérateur. Nous avions pris l'habitude d'y inscrire des messages inoffensifs. « J'aime tes fesses. » « Il fait froid mais tu es torride. » « Je pense à toi. »

Jusqu'à ce jour où, en rentrant du travail, j'ai ouvert puis refermé la porte du réfrigérateur. En dessous de mon dernier message, « Sexy wapiti », tu avais inscrit « Je m'en vais ». Je me suis demandé où tu étais allé. Au dépanneur, à l'épicerie, à un rendez-vous chez le dentiste dont tu avais oublié de me parler. J'ai composé le numéro de ton cellulaire, mais il n'y avait pas de réponse. J'ai fait le tour de toutes les pièces, il m'a fallu un moment avant de comprendre ce qui avait changé. Les chaises de la cuisine avaient disparu.

Depuis, je passais beaucoup de temps à regarder les mots aimantés. Il y en avait tellement qu'ils formaient une sorte de nuage, de masse informe. J'essayais d'y déchiffrer un code, un sens nouveau. Surtout la nuit, quand je n'arrivais pas à dormir. J'avais commencé à composer des phrases. Des trucs surréalistes, un genre d'écriture automatique. «J'adore les moustaches en ivoire.» «Les oreilles du quotidien sont très fragiles.»

Une nuit, j'ai inscrit: «Je suis un petit animal immobile». Un peu plus loin, j'ai ajouté: «J'attends que l'on me chasse».

Je suis restée ainsi jusqu'au matin. Jusqu'à ce que je doive me lever pour faire du café. Avant d'agripper mon sac à main, avant de sortir et de refermer la porte derrière moi, j'ai composé un dernier message. «J'ai peur.» En le relisant, j'ai pensé que je ne pourrais jamais abandonner quoi que ce soit. Et plus que tout le reste, c'est cette pensée qui m'a semblé la plus triste.

Le voyage

Ma sœur m'avait donné rendez-vous sur Sainte-Catherine Ouest, la rue des touristes et des magasins. On subissait depuis quelques jours la première grande vague de chaleur de l'été. L'air était humide, et la clarté me coupait le souffle. J'avais déjà mal à la tête. Sarah devait acheter une robe pour assister au mariage d'une amie d'enfance, dont elle n'avait pas eu de nouvelles depuis des années. Elle ignorait pourquoi on l'avait invitée et pourquoi elle avait accepté l'invitation. Je pensais que ce n'était pas logique. Je lui avais quand même proposé de l'aider à se trouver une tenue.

J'ai voulu consulter le plan du centre commercial, affiché au point d'information. Sarah a haussé les épaules, avant d'entrer dans la première boutique venue. Je l'ai suivie. J'ai commencé à inspecter les rayons, un à un, systématiquement. Après quelques minutes, je me suis retournée pour lui proposer une robe fuchsia. Mais elle n'était pas là.

Lorsque j'étais enfant, ma plus grande crainte était de me perdre dans un magasin. Je croyais que si ma mère partait sans moi, elle ne reviendrait jamais me chercher. Il me faudrait vivre à tout jamais dans les immenses allées, abandonnée de ma famille, au milieu des étrangers qui faisaient leurs emplettes, indifférents.

Je l'ai finalement aperçue, étendue par terre aux pieds d'un mannequin. Je lui ai demandé si ça allait. Elle m'a dévisagée depuis le plancher. Je lui ai montré la robe. Elle a cligné des yeux.

– Non.

– C'est une bonne couleur pour toi.

– Je ne porte jamais de rose.

– Tu en portais, avant. C'est une couleur qui te met en valeur.

– Ça ne me ressemble pas

– Qu'est-ce que ça veut dire, se ressembler ? Tu es censée ressembler à qui ?

Elle a tourné ta tête vers la droite, contre le tapis rugueux et probablement sale. Elle a poussé un soupir très léger avant de se redresser.

J'ai insisté pour qu'elle mange quelque chose. Plusieurs tables étaient disponibles dans la foire alimentaire. Nous avons hésité pendant quelques minutes avant de nous installer à l'une d'entre elles. Il y avait trop de choix, trop de comptoirs-restaurants, de variétés, de nationalités. Elle n'avait pas faim. J'ai sorti une barre tendre de mon sac à main.

– Tu es certaine que ça va ?

– Oui.

– Comment se passe la cohabitation ? Toi et maman, vous vous entendez bien ?

– C'est correct jusqu'ici. On ne se voit pas tellement.

Sarah était revenue au début de l'été d'un long séjour aux États-Unis. Elle avait complété sa maîtrise en actuariat à l'université Columbia. Depuis, elle était retournée vivre chez notre mère, dans la maison où nous avions grandi, en banlieue. Elle s'était trouvé un travail près de la maison, dans un *fast food*, un emploi similaire à celui qu'elle occupait à l'âge de seize ans. Elle disait que c'était en attendant.

– Elle t'a dit pour le vol ?

– Oui. Ils ont pris ses bijoux. C'était juste avant que je revienne.

– Ils ont aussi emporté sa télé. Et nos dents de lait.

– Nos dents ?

– Ils ont dû les prendre pour des perles. Maman les conservait dans un petit écrin. Elle les rangeait au même endroit que ses bijoux.

Il y a eu un moment de silence. Nous pensions à nos petites dents. Du moins, moi, j'y pensais. À ce qui est perdu depuis longtemps, mais qui existe encore à notre insu, quelque part. Une part de nous, ancienne, menant désormais une vie indépendante.

– Tu veux continuer ?

Elle s'était arrêtée devant un panneau publicitaire qui annonçait la tenue de l'exposition *Bodies* au dernier étage du centre commercial. « Une expédition au centre du corps humain. » Sur l'affiche, il y avait un corps humain dépouillé de sa peau. Il se tenait debout, les mains sur les hanches, muscles et nerfs, regard lointain et bouche entrouverte.

– La robe.

– Quoi ?

– Qu'est-ce que tu fais de la robe ?

– Je t'emprunterai quelque chose. Ou je n'irai pas.

– Tu n'iras pas.

Elle n'a rien ajouté.

Je me suis approchée pour lire les mots imprimés sous la photographie.

« C'est par un procédé appelé *plastination* qu'ont été préservés les corps de l'exposition. Il en résulte des spécimens à l'apparence caoutchoutée, parfaitement conservés jusqu'au plus petit niveau cellulaire, exposant la complexité des nombreux os, muscles et organes du corps humain. »

– Ça semble morbide.

– Allons-y.

J'avais déjà visité un musée d'histoire naturelle. La vue de tous ces animaux morts, taxidermisés, m'avait pétrifiée. Des dizaines et des dizaines d'oiseaux-mouches disposés côte à côte sur un grand plateau. Une famille de cerfs se tenait aux aguets, au détour d'un couloir. Des animaux sauvages immobiles dans une grande cage de verre. J'ai tout de même suivi ma sœur, à contrecœur. Je l'avais toujours suivie. Un été, Sarah avait quatorze ou quinze ans, et moi, douze, elle avait convaincu nos parents de lui acheter un abonnement estival à La Ronde, le parc d'attractions. Je les avais suppliés à mon tour de m'en acheter un aussi. J'avais fidèlement suivi ma sœur dans les manèges qui me terrifiaient et me donnaient la nausée. Trois jours par semaine, pendant douze semaines, j'étais persuadée que j'allais mourir, alors que le sang me montait à la tête et que mon corps défiait la gravité, tiré dans tous les sens à la fois, sous le point de céder, de se décomposer dans l'air.

Les lieux de l'exposition étaient dépourvus de fenêtre. J'avais l'impression de pénétrer dans un endroit secret, une cave, un laboratoire illicite. Les murs étaient peints en noir, et les lumières, tamisées. La climatisation et l'obscurité ambiante me faisaient oublier le soleil, et le monde brillant, insupportable, à l'extérieur.

Le parcours permettait aux visiteurs de voir de près le squelette, la musculature, les appareils et systèmes reproducteur, respiratoire et circulatoire du corps humain.

Plusieurs parties du corps humain me rappelaient la viande, les morceaux de porc que l'on faisait cuire dans une poêle le dimanche matin. Je me demandais d'où venaient les corps. De ce qu'ils auraient pensé, de leur vivant, d'être trimballés de ville en ville et exposés ainsi, nus jusqu'à la moelle.

New York n'est pas très loin de Montréal, et pourtant, quand Sarah était là-bas, elle ne revenait jamais me voir. Elle se contentait d'écrire des courriels, que je trouvais toujours insatisfaisants, comme s'ils ne faisaient que prolonger son absence. Ses messages rapportaient avec trop de détails ce qu'elle voyait et faisait. J'avais l'impression de lire des extraits de guides touristiques. Je n'avais pas osé vérifier.

Dans une salle, les principales artères du corps humain avaient été isolées et enduites de couleurs phosphorescentes. Artères des pieds, des poumons, du cœur puis, finalement, de l'ensemble du corps. J'ai pensé à un arbre. Un arbre que l'on abrite, qui croît en nous à notre insu.

Plusieurs des corps étaient présentés dans des poses athlétiques. Celui-ci mimait l'élan d'un bras tenant une raquette de tennis, l'autre s'apprêtait à frapper dans un ballon de soccer. Des spécimens servaient à montrer aux spectateurs les dommages causés par le manque d'exercice, le tabagisme ou l'alcoolisme. Poumon rose, poumon gris. De petites vignettes nous mettaient en garde: «Arrêtez dès maintenant, il n'est peut-être pas trop tard.»

J'avais profité du congé de l'Action de grâce pour lui rendre une visite surprise. Sarah semblait blessée de me voir, comme si je l'avais trahie. Elle avait boudé tout le long du week-end. Elle avait rechigné à me faire visiter la ville.

Des fœtus translucides, décédés à différents stades de leur développement, étaient illuminés de l'intérieur, dans de petits bocaux. J'ai commencé à trembler. Ma sœur n'a pas semblé le remarquer. Ses yeux étaient grands ouverts, ébahis. Elle a murmuré quelque chose. J'ai cru comprendre: «Nous sommes parfaits.»

– Qu'est-ce que tu as dit?

– Quoi? Rien.

– Qu'est-ce que ça veut dire: «nous sommes parfaits»?

– Je ne sais pas.

– Tu ne sais pas.

– Laisse tomber.

Dans la dernière salle, elle s'est arrêtée devant une petite affiche. On y invitait les personnes intéressées à inscrire leurs coordonnées sur un coupon pour obtenir des documents d'information sur le don de corps et d'organes à la science. Quand je l'ai vue chercher un crayon dans son sac, j'ai paniqué.

– Non.

Elle a levé les yeux vers moi.

– C'est seulement par curiosité.

– Non.

Je ne tolérais pas l'idée qu'un jour, elle rejoindrait les corps de l'exposition. Pour toujours figée dans une pose, une expression qui ne seraient pas elle.

– Ces corps sont anonymes, on ne sait pas à qui ils appartenaient. Personne ne peut les reconnaître. Ils n'ont plus aucune famille.

J'avais les larmes aux yeux, soudainement.

Sarah ne m'a pas regardée, mais elle a cessé d'écrire.

– Je ne veux pas être ici, je ne veux pas que mon corps soit ici un jour. Et tu n'aimes aucun sport.

Elle a froissé le papier et l'a glissé dans l'une de ses poches avant de poser sa main sur mon bras.

– D'accord, n'y pensons plus.

Il nous fallait passer par la boutique de souvenirs pour atteindre la sortie. Nous l'avons traversée sans nous attarder aux porte-clés en forme de fémur, de rate et de foie. Le caissier décrivait sa dernière conquête à l'un de ses collègues. Une grande rousse bien faite, jolie sous certains angles seulement.

De retour dans la rue, devant le centre commercial, Sarah a souri. Ou elle a grimacé. Le soleil me faisait plisser les yeux, et je n'arrivais pas à bien discerner les traits de son visage.

– Tu sais, là-bas, je n'étais pas vraiment heureuse.

– Et ici ?

Sarah a fait un geste qui signifiait « oui » ou « non » ou « je ne sais pas ». Elle s'apprêtait à s'en aller, à s'en retourner les mains vides, sans robe, sans jolie tenue à conserver dans une housse protectrice. J'avais échoué, je le sentais. J'ai voulu dire une chose qui la retiendrait, un moment encore, avec moi, dans la chaleur et la lumière intenables.

– Nous sommes parfaits.

– … C'est vrai. Nous sommes parfaits.

Éric dans la forêt

Nous mangions depuis des heures, mais la faim demeurait, nous ignorions pour combien de temps encore.

Nous célébrions la fin de l'année chez mon ancienne voisine de palier, Léanne, qui avait récemment emménagé dans un quartier ouvrier de Montréal. Son nouvel appartement était immense, mais vieux et mal entretenu. Il y faisait froid. Tous les convives avaient gardé leurs manteaux. La jeune femme assise à ma droite, dont je ne me rappelais plus le nom, portait une tuque et un foulard. La peinture s'écaillait, la plomberie faisait régulièrement défaut. À plusieurs reprises au cours de la dernière année, notre hôte avait dû faire appel à un exterminateur pour se débarrasser des rats. En sachant qu'ils finiraient par revenir.

Léanne possède un lézard qui se nourrit d'insectes vivants. Quelques criquets s'étaient enfuis, elle ne savait trop comment, de la boîte de carton dans laquelle elle les achetait. Ils s'étaient dispersés dans l'appartement. Elle les entendait chanter, lancer leurs cris vibrants en plein cœur de l'hiver. Ce bruit se mêlait parfois à celui des battements d'ailes des pigeons, qui voletaient tout contre les fenêtres. Ils voulaient entrer, eux aussi.

De temps à autre, quelqu'un interrompait sa mastication pour raconter une histoire. Une femme d'un certain âge, trop maquillée, nous a rapporté que son grand-père était mort dans le stationnement d'un supermarché il y a quelques années, écrasé par une voiture qui reculait. Un ami de Léanne, un homme grand et mince, entrecoupait ces révélations de faits divers qu'il avait lus dans le journal. Nous avons appris qu'un fermier américain avait abattu ses cinquante et une vaches laitières avec un fusil avant de se donner la mort.

Léanne a raconté que quelqu'un s'était introduit chez elle pour fumer des cigarettes. Des bruits l'avaient réveillée. Ils provenaient de la cuisine. Elle était restée dans son lit en tentant de ne pas respirer. Lorsque son réveil avait sonné, le matin venu, elle s'était levée. L'intrus était parti. Elle avait retrouvé des mégots dans l'évier de la cuisine. Le four était allumé.

J'ai dit qu'il voulait peut-être cuisiner. Faire cuire un rôti. Nous avons reporté les yeux sur nos assiettes.

L'homme grand et mince a affirmé qu'un enfant de sept ans avait été attaqué par un cerf alors qu'il jouait au football avec des amis.

Quelqu'un a fait une blague, et nous avons tous ri.

J'avais accepté l'invitation à la dernière minute. La veille, j'avais été pris d'une envie urgente de fêter le Nouvel An. Normalement, je ne fais rien du tout. Je reste chez moi, je mange du popcorn en regardant de vieux films. Je rédige des listes, même si c'est inutile. L'année précédente, j'avais loué un documentaire sur une expédition en traîneau à chiens au Groenland. Des chiens qui ressemblaient à des loups. Juste avant le départ, la meute s'était mise à hurler. J'étais resté immobile, dans mon salon, au milieu de leurs cris déchirants, insupportables. La lumière du jour était teintée de bleu. Je ne m'étais jamais senti aussi faible, aussi démuni.

Je ne crois pas aux recommencements. Tout comme la vermine, les gâchis sont destinés à infiltrer nos logis.

J'ai quitté la table pour aller fumer une cigarette. À minuit, j'arrêterais.

J'ai eu de la difficulté à ouvrir la porte qui menait à l'extérieur. J'ai dû pousser de tout mon poids.

Il y avait des sapins sur le petit balcon. Des sapins défraîchis, aux épines orange et brunes. Je les ai comptés. Six. Ils prenaient toute la place, sauf celle occupée par une chaise pliante. Je me suis assis sur la chaise et j'ai allumé ma cigarette.

Les arbres des six derniers Noëls m'entouraient, me protégeaient. Je ne voyais pas la rue, en bas. J'étais perdu, au cœur d'une forêt de conifères. Je suis resté là longtemps. À un moment donné, j'ai entendu les autres crier le décompte. Je n'ai pas bougé. Dix. Neuf. Huit. Sept. Six. Cinq. Quatre. Trois. Deux. Un.

Bonne année.

La morale

Nous étions dans l'autobus. Je pleurais. Pour des choses et d'autres, des raisons qui n'en sont pas vraiment. Alors tu m'as raconté l'histoire du lapin. Tu m'as même laissée choisir le nom du lapin. Je l'ai nommé Clark. Comme Superman. Comme la plante qui vit sur mon bureau. Une fois le nom choisi, tu as pu commencer.

Il était une fois un lapin nommé Clark. Clark n'était pas un lapin normal. Il n'avait pas d'oreilles. Il n'y avait rien sur les côtés de sa tête. Rien. Du vide. Clark était horriblement déprimé par cette absence d'oreilles. Alors il parcourait le monde à la recherche d'un conseil, d'une solution qui lui permettrait de vivre comme les autres lapins à oreilles, mais sans oreilles. Un jour, il a rencontré un grand sage, Edgard – cette fois, c'est toi qui a choisi le nom. Le grand sage lui a dit que la solution à son problème était bien simple : il suffisait à Clark d'arracher les oreilles d'un autre lapin et de se les coller sur la tête. Clark a bien réfléchi au conseil d'Edgard, mais en fin de compte, il n'a pu se résoudre à arracher les oreilles d'un autre animal. Tu as fait une pause, puis tu as repris. La morale de cette histoire, c'est ravale. Ravale, ma vieille. Dans la vie, on n'a pas tout ce qu'on veut, mais ce n'est pas une raison pour arracher des oreilles.

Nous sommes restés un moment en silence, en pensant à Clark, le lapin ou la plante, ça n'avait pas beaucoup d'importance.

Puis tu as caressé mes cheveux du bout de tes doigts. C'était ton arrêt. Tu es descendu. Je pleurais toujours.

Table

Achevé d'imprimer sur les presses
de Transcontinental Métrolitho
à Sherbrooke, Québec, Canada.
Premier trimestre 2011